Gente bastante inquieta

Esteban Peicovich

Gente bastante inquieta

Conversaciones

Ediciones Simurg
Buenos Aires
2001

Testimonios

TAPA: *Konzentrische Gruppe* (detalle), de Oskar Schlemmer

ISBN: 987-9243-83-8

© Ediciones Simurg
Jerónimo Salguero 33 6° D
1177 Buenos Aires - Argentina
simurg@sion.com

*A
Jerónimo,
Agustín,
Candela
y Matías
(gente
nueva)*

PRÓLOGO

Fue seguramente un poeta quien inventó el primer dinosaurio azul del mundo. Y un periodista, el primero en descubrir ese quiebre de color oculto entre una manada de grises. Advirtió la noticia que desprendía ese azul y salió pronto y a los gritos a contarlo a la tribu.

Ezra Pound decía que "el poema es la única noticia que permanece". Esta premisa bien puede extenderse a las noticias que recogen de lo ordinario la información perdurable. En este sentido, y como bien quedó probado a lo largo del siglo XX, el periodismo es el último gran género de la literatura.

Fuese en la crónica, la nota, el artículo o la entrevista, nunca sentí que la planificación y el archivo fuesen más importantes que el abordaje del dinosaurio en crudo. Es con esta actitud "prehistórica" que practico la profesión y por eso defino al periodista que soy, no a los otros, como ignorante especializado.

Provisto de algunas carencias (soy autodidacta, no hablo idiomas, olvidé las reglas gramaticales) resulto poco confiable para la ortodoxia de la profesión. No pago tributos sagrados a la verdad o la objetividad: creo que la mentira es siempre una parte de la verdad y lo objetivo no más que el ejercicio soberano de nuestra subjetividad. Por lo mismo, considero natural creer, como genuinamente creo, que también puede ser noticia que un perro muerda a un hombre. Por lo menos en mi país. En donde la lógica actúa desde el revés.

Esta postura ha guiado las millones de palabras periodísticas escritas a lo largo de los años, desde las primeras en "El Día" (de La Plata) y "Clarín", a las que escribo actualmente para "La Nación" y otros medios. También, las centenares de entrevistas realizadas, desde las iniciales a John Dos Passos y Stephen Spender, en 1960, a cualquiera de las últimas, para mi programa radial "Los palabristas".

Este primer tomo de entrevistas, apunta, con diversa suerte, a celebrar la herejía que defiendo. Estas "conversaciones" no siguieron ninguna regla del género. Si hubo una retórica, la dictó cada una. En algún caso la charla en abanico, en otros, el reportaje en foco. La vida antes que el canon.

Tengo mis motivos. La entrevista periodística no es más que la ceremonia de una conversación anunciada. Se inicia contra natura, mantiene cierto grado de teatralidad y discurre contra reloj. Se diferencia de la confesión en que no imparte anestesia, y de la clínica, en que no libera de culpa. Esta ceremonia establece que dos desconocidos se reúnan y mantengan un diálogo íntimo que debe hacerse público. Uno despliega su estrategia de merodeo, acoso y caza. El otro, su manejo del silencio y la administración de sus juicios.

Pero hay más. Y tal vez sea lo único importante. Este curioso diálogo, esta conversación de dos, está pensada para tres. Tanto quien pregunta, como quien responde, son conscientes de que en todo instante, los acompaña, invisible, un tercer interlocutor latente, anónimo y múltiple. De partida, el entrevistado es un personaje en busca de autor. Y el periodista, un escritor ante su página en blanco. Juntos, deben hacer una noticia. Esto es, crear una realidad. Paradoja que Beatriz Sarlo resuelve con una sola frase: "Como ningún otro género, la entrevista construye su fuente".

Y siendo así, ¿de dónde, si no de la literatura, le brota el agua a esta fuente?

Esteban Peicovich

ROBERT GRAVES

EL ÚLTIMO GRAN DIOS BLANCO

En Mallorca sólo nievan los almendros. Seis millones de almendros que echan sobre la isla una alfombra de nubes. Una primavera perpetua rodea a Robert Graves, quien apenas habla. Sus ojos, sí. Y lo celebran brillando. Sus ojos y este cuerpo terminal de ochenta y tres años al que sostengo entre naranjales que él plantó y olivos que cada año dejan doscientos litros de aceite en los odres de su templo de Deyá. Graves tiene grandes manos con uñas de agricultor. Manos que hablan con el aire. Quiere mostrarme todo.

—*¿Por qué eligió España, señor Graves?*
—Sol.

Apenas si desgrana sustantivos o alguna frase corta. Sus ojos resisten la erosión. Vivos, de intenso azul, parecen querer salir y suplantar al cuerpo entero. Le hablo de "Sur", de que conocí a su amigo el poeta Stephen Spender en la reunión del Pen Club de Buenos Aires de 1960, le pregunto si él estuvo alguna vez en América. Dice...

—México.

Y me aprieta la mano. Por momentos las dos. A lo largo de una tarde Robert Graves apenas me soltará, apenas hablará, y sin embargo, o tal vez por eso, la ceremonia de silencio dará sostén a la entrevista. Este hombre que solo calla y mira es el último explorador mítico del siglo XX. Graves no es un mortal al uso y ni siquiera está en 1980. Se ha ido. Lo confirma su vecino, el escritor inglés Martin Tallents.

—Graves es absolutamente oracular. Graves es todo futuro. Conoce el fluir de los tiempos pasados y olisquea lo por venir. No existen más humanos así. Algún día se reconocerá su desmesura.

Y aquí están sus manos. Han escrito ciento cuarenta libros y algunos de los mejores poemas de amor de la literatura inglesa. Manos que lo llevaron a campeón inglés de boxeo, a matar en la Primera Guerra cuando casi cadáver fue recogido de entre un montón de muertos en un campo de batalla de Francia. Posó como modelo para la estatua al soldado desconocido, se repuso en Grecia, y en 1929 sintió que una de sus vidas acababa y que las musas mediterráneas lo citaban para vivir en la poesía, en Mallorca, en Deyá.

—Adiós a todo eso.

Lo masculla mientras hojea la edición española de *Adiós a todo eso*, su autobiografía de los treinta y dos años. Despaciosamente, con un castellano que cruje, lee los primeros siete renglones:

—Como prueba de mi acatamiento a las convenciones autobiográficas, permítaseme relatar inmediatamente mis dos primeros recuerdos. El primero es haber sido sostenido lealmente en brazos frente a una ventana para observar una procesión de vagones y carruajes decorados, con que se celebraron en 1897 las bodas de diamante de la reina Victoria. Esto ocurrió en Wimbledon, donde nací, el 24 de julio de 1895...

Abandona el libro sobre una piedra y con un gesto pide que le ayude a levantarse y caminemos. Pienso en la eternidad de Graves desde aquel Claudio imperial que fue, al bebé que vio a la reina Victoria en el siglo pasado, a éste que cohabita con "la diosa blanca" y que entre millones de palabras escritas se ha quedado con una.

—Sol.

Pide detenerse y señala con su bastón el mar que está frente a su casa. Eleva el bastón.

—Sol.

Es la palabra (en inglés) que más veces repite. Su alto cuerpo quebradísimo ya no tiene autonomía. Apenas moverse de la mecedora a la chimenea, de un sillón a la ventana, de allí a la terraza. Lleva enyesado el brazo, por una caída. Vive sentado, o en la cama, casi siempre despierto. Lejos de aquel Robert Graves que él mismo retrató así en 1930:

—Mido seis pies con dos pulgadas. Para comenzar tengo una gran nariz que una vez fue aquilina y que rompí en Charterhouse mientras jugaba rugger con un equipo de fútbol (a mi vez le rompí la nariz a otro jugador esa misma tarde). Esto tuvo el efecto de hacerle perder su solidez. El boxeo hizo el resto. Finalmente fui operado por un incompetente cirujano del ejército y a partir de ese momento dejó de servir como una línea vertical de separación entre los costados izquierdo y derecho de mi rostro que por supuesto han dejado de ser simétricos. Mi boca es lo que generalmente se conoce como "carnosa" y mi sonrisa es huidiza. Cuando tenía yo trece años me rompí dos dientes delanteros y a partir de ese momento me esforcé por ocultarlos. Mis manos y mis pies son grandes. Peso alrededor de setenta y cinco kilos. Mi defecto más cómico es que poseo una pelvis tan flexible que me puedo sentar sobre una mesa y usarla de tambor tal como hacían las hermanas Fox. Un hombro está palpablemente más caído que el otro, debido a una herida en el pulmón. No llevo reloj porque siempre magnetizo las agujas. La genealogía de la familia Graves se remonta a un caballero francés que desembarcó con Enrique VII en 1485. Se considera que el coronel Graves, "el Cabezón", es el fundador de la rama irlandesa de la familia. Tengo muchos rasgos de los Graves, la mayor parte excéntricos. Tales como la dificultad para caminar en una calle descendente, hacer bolitas de miga en la mesa, cansarme de las frases y dejarlas por la mitad. Los Graves tienen mentes muy hábiles para pasar exámenes, escribir versos ingeniosos en latín, llenar cuestionarios, resolver charadas. Tienen buena vista y un estilo elegante para los juegos de pelota. Yo heredé la vista pero no el estilo. Monto a caballo de un modo feo pero seguro. Mi familia materna carece totalmente de estilo. Soy siempre capaz de disfrazarme de caballero. A propósito de este asunto de ser un caballero: durante catorce años de educarme como un caballero pagué con tanta dureza ese privilegio que ahora me siento con el derecho de recibir de cuando en cuando alguna compensación.

—Sol.

Deyá es una perla marina en la punta norte de Mallorca. Vecina a Valldemosa, donde ocurrió lo muy famoso de Chopin y George Sand. Posee cuatrocientos habitantes: artistas europeos, campesinos. Convido café y anís a un mallorquín solitario.

—¿Don Roberto? Usted sabe cómo es esto. Ahora, por *Yo, Claudio* toda Mallorca está orgullosa de tenerlo aquí. Si no fuera por la televisión ni se enteran que es su vecino desde hace cincuenta años. Hace mucho que no viene por aquí. Nunca se dio demasiado; una vez siendo Fraga ministro de Información, le pidió a don Roberto que diera una conferencia, él le dijo que sí, siempre y cuando le diera a cambio luz eléctrica a Deyá. A Fraga lo recibió por la puerta de la cocina y con una alpargata distinta en cada pie. Un hombre muy sencillo y siempre distraído.

El albañil y agricultor Pedro Canados, tiene la edad de Graves:

—Mi madre le lavaba la ropa. Sí, a mí me pone orgulloso ver su nombre en la televisión y esa serpiente que se mueve sobre su nombre y el de Claudio. Don Roberto se ha pasado la vida trabajando. Plantando en el huerto y escribiendo. No era de darse con los vecinos. Los que sí venían a su casa eran famosos de todo el mundo. Muy famosos.

Damián Cauvet, escritor, treinta años, nacido en Deyá:

—Cuando yo era un niño, en el teatrito griego que tiene detrás de la casa, cada año, durante sus cumpleaños, se estrenaban dramas suyos y se leían sus poemas. Por esta casa ha pasado el mundo. Aquí han vivido Alec Guiness, Peter Ustinov, Olivier y su mujer, Ava Gardner, Julian Huxley (el hermano de Aldous), Tony Richardson y tantos más. El propio Graves escribía las invitaciones, elegía los personajes para cada cual y se los remitía con tiempo. Desde que llegaban vestían túnicas griegas y las representaciones se hacían allí en lo alto y frente al mar, entre las rocas. Hasta tenían un camarín. Eran fiestas que duraban cinco días. Graves invitaba también al panadero, a maestros, a los vecinos. Claro, después ellos se iban y esto volvía a su tono de siempre. Un templo de la belleza. Con una vieja imprenta que hizo traer de Londres. Y música, mucha música. Graves es un genio. La poesía inglesa ha dado dos este siglo: Graves y Dylan Thomas, quien se casó con una prima de Graves. Graves fue el típico caballerito de Oxford que se metió en la guerra y debió asumir un tiempo nuevo. Vivió hasta agotarse. Ha vivido mucho más de los ochenta y tres años que tiene.

—Sol

Muy cerca de los Graves viven los Flakoll, aunque es mejor decir el matrimonio formado por Darwin Flakoll y Claribel Alegría, la poeta de Nicaragua. Juntos tradujeron al español los *Selected Poems* de Graves. Lo conocen desde 1950. Son amigos del "emperador Graves".

—De joven parecía un dios griego. En la primera guerra lo dieron por muerto. En la segunda, murió su hijo. La vida lo hizo como un olivo: nudoso, permanente. Graves es el último poeta isabelino. Su estilo es muy austero. Buscó una explicación racional de los mitos y la descubrió aquí, en donde Graves se encontró con Graves. Aquí se hizo árbol. De haberse quedado en el mundo los hombres lo hubieran podado. No hubiera crecido como creció.

En la casa pululan extraños seres: tal vez musas. Martin, autor de canciones. Juan, adolescente que hace de lazarillo de Graves. Una pintora inglesa que se parece a la Isadora Duncan que hizo Vanessa Redgrave (la misma cara iluminada, pero más alta y desgarbada, casi una jirafa rubia que sonríe, enrojece y escapa de las fotografías). Y Beryl, la mujer de Graves. Circunspecta, frágil, con la transparente piel de una taza de té inglesa. Graves hunde su cabeza en el pecho y dormita o sueña unos segundos. Ella le acomoda la capa.

—Nos conocimos en Londres, en 1936, en una tertulia poética. Él era el poeta. Un hombre hermosísimo. Fui su secretaria y después nos vinimos aquí. En esta casa han pasado temporadas sus grandes amigos: Guiness, Ustinov, John Huston, Spender,

Huxley, Edna O'Brien, Collin Wilson, Anthony Burgess, Kenneth Galbraith, Adlai Stevenson, tantos... Robert dejó de escribir en 1975. Su amnesia crece. Duerme poco. Desayuna té con miel, vinagre caliente, yogur. Primero fue dejando la huerta, después el jardín y finalmente la cocina donde solía ayudarme con gozo. Robert tuvo ocho hijos de los cuales viven seis. Catherine (escritora y cocinera) y Sam (geólogo) de su primera mujer. Luego Guillermo (arquitecto), Lucía (casada con el músico catalán Ramón Farran), Juan (fotógrafo) y Tomás (diseñador gráfico).

—¿*Él llegó a ver los trece episodios completos de* Yo, Claudio?
—La BBC lo invitó a ir a Londres cuando terminaron con la obra, pero él se negó a moverse de Deyá. Entonces la BBC envió un equipo de tres personas para que se lo proyectaran aquí. Durante esos días no dijo nada. Sólo habló cuando el responsable le pidió su opinión.
—A Claudio le habría gustado —respondió.

Abre los ojos, mira como asustado, vuelve a tomarme las manos, sonríe, habla muy bajo con Beryl...

—Dice que usted es alto como él.

Le pregunto por qué de entre todos aquellos romanos eligió a Claudio. Costosamente y con ayuda de Beryl recuperamos sus palabras.

—Porque me identifiqué con él.
—¿*En qué, míster Graves?*
—Sol.

Ahora señala con el bastón golpeando en la ventana que da al

Mediterráneo. Abajo, a unos doscientos metros, está el lugar al que acudía hasta hace diez años (cuando tenía setenta y tres) para desnudarse delante de cualquiera, y zambullirse desde seis metros de altura ante el asombro de los bañistas jóvenes que temían intentarlo.

Graves fue siempre un escritor obseso. Un perseguido por las pesadillas de la guerra. Confesó que la imagen de los caballos muertos era más insoportable que la de los hombres. A veces repite que él no hubiera querido matar a ningún alemán.

Repentinamente se alza con esfuerzo, pide su sombrero cordobés y sale al gran patio que mira hacia el mar.

—Sol.

Lo veo de perfil. Cabellera blanca, nariz recta, inmensa cara de niño. Ya lo ha dicho todo. Los calendarios ya no existen para Graves. Sólo el tiempo de los mitos. Y el sol.

Me despide con beso en la mejilla. Me pide que regrese.

—Todos los años. Venga todos los años.

Antonio Gala

UN CABALLERO DE TAN FINA ESTAMPA

Yo venía buscando al chozno de aquel escriba que medita en El Cairo, cartilla en mano, ojos al más allá, cuando di, en este acá, con Antonio Gala, escriba egipcio en moderno, en andaluz, en señorito, en fina lengua, que tanto puede retratar el otro yo de Quevedo, enojar a la Iglesia o tirar dardos envenenados a la nuca de los gobiernos de turno. Un erótico orador que desnuda palabras, les aligera la piel, les quita la costumbre que traen, y luego se las come, se relame y las devuelve emocionado al uso. Hablar y temblar (o temblar para hablar) es su oficio. Desde *Los verdes campos del edén* hasta *La soledad sonora*. Una enhebrada biografía en texto vivo. Paisajes con figuras, retratos, medallones, pellizcos a la historia, oraciones, frases bomba contra el poder, monólogos, esquelas, chismes. ¿Cómo se las arregla un príncipe de enojo fácil para soportar la ola posmo que lo empapa?

—Hace unos cuantos años con el primer alcalde socialista nos cayó la posmodernidad en Madrid. Fue un movimiento un poquito cutre, palabra que tampoco conocíamos, que no es como primitivo, sino como modesto, pero modesto tirando a horterilla, a cursi. Un movimiento que suscitó un momento de arte desnudo, imitativo, reiterativo, pero sobre todo ágil y brillante. Madrid se comportaba como un adolescente, es decir, no hablaba, corría. No se vestía, se disfrazaba y no hablaba sino que cantaba. Un Madrid glorioso que atrajo mucho las miradas de Europa sobre todo porque acabábamos de pasar por una transición. Un pasillo que nos condujo de un cuarto de estar a otro cuarto de estar, más o menos incómodo. Y a desembocar en el posmodernismo. Eso es terrible.

El camino más bello del mundo va a desembocar en esa cosa casi inexistente, menuda, sin gracia, con un cierto movimiento de mirar hacia atrás pero inseguramente y tropezando, precisamente porque se mira mal hacia atrás. Decía Eugenio D'Ors que todo lo que no es tradición es plagio. Quizá no sea del todo verdad, pero es una parte de la verdad. Si los que nos precedieron fueron grandes, nosotros no podemos de ninguna manera contentarnos con ser absolutamente enanos.

—*Él habría deseado que el pasaje de Franco a las urnas fuese de transfiguración inmediata, no transitivo. Que de un solo golpe cayeran las máscaras. Que ninguna muñeca rusa saliera de las mangas ministeriales ofreciendo panaceas, estirando el tiempo, echando paladas de olvido sobre una memoria española tan viva como la cal. Gala pide la alquimia, no la química. ¿Habría aceptado Platón a Gala en su República?*

—Yo no estoy seguro de que Platón nos echase por eso de la República. Yo sospecho que Platón no quería competencias ni de día ni de noche.

—*¿Y es tan unánime la noche como Borges la bautizó?*

—Los adjetivos eran extraordinariamente bien manejados por Borges, pero yo no estoy nada seguro de que la noche sea unánime. Me parece que el valor de la noche es su carácter plural, es decir, su contradicción. En la noche cabe todo. Es como un manto que envuelve todo, como el de la Virgen del Buen Aire, que tiene debajo a tantos navegantes, a tantos náufragos, a tantos triunfadores y a tantos perdedores. Pero en verdad, yo no estoy nada seguro de nada. En cuanto a que me ves como texto vivo, no lo sé. Yo cada vez creo que el escritor es simplemente como un flatus vocis, como un soplo de aire y que el arte es palabra y nada más. Yo no tengo otra cosa. Cuando escribo me paso los folios por la cara y sucede que se transforman en una especie de paño de la Verónica en que está lo que esté en la cara en ese momento:

el sudor, la sonrisa, la lágrima, la sangre también. Soy un escritor absolutamente auténtico porque no soy un escritor de vocación, sino soy un escritor de destino. A mí no se me consultó, no se me dio opción para ser o no escritor. Si se me hubiese dado quizás hubiese sido ebanista, trabajar en la madera con las manos nuestras, venciendo dificultades y viendo lo que estamos realizando en cada momento, llegando a la meta en cada instante, un trabajo buenísimo. En cambio el trabajo del escritor es terrible porque no admite ocio. El escritor es tan escritor cuando está ocupado como cuando está preocupado. Cuando se está llenando de la realidad que está alrededor, para luego exprimirse (en francés se dice exprimér), expresarse sobre el papel. Es un oficio triste. No se nos ha hecho escritores para que estemos alegres de serlo ni orgullosos de serlo, sino para que miremos alrededor y contemos lo que estamos viendo.

—*¿Hacemos arte para no morir de la verdad, como pensaba Nietzsche?*

—Sí, quizás para no morirnos de la verdad o de pena. Porque necesitamos hacerlo, porque no tenemos más remedio que hacerlo. Me parece que cuando el hombre mira de tejas (de techo) para arriba ya empieza a hacer arte. Para no morir de pena y a veces para reír. La escultura etrusca ha guardado el registro de su risa. Hay una cultura anterior, la de los antiguos sirios, en la que sonríen las esculturas. Y también sonríen un poquito en el Románico posterior. Yo creo que era gente satisfecha consigo misma. Era gente que tenía la noción de ser una mínima tesela de un infinito mosaico, una tesela que no sabe exactamente que línea tiene ni de qué rostro forma parte ni qué paisaje compone, pero que tiene la absoluta certeza de que está en su sitio, en ese momento en su sitio. Eso hace sonreír. Y la nave va. La nave va a donde la empujen los vientos porque es muy difícil conducir la nave. Es extraordinariamente difícil que los remeros sean los que rectifiquen el rumbo de los vientos. Me parece que lo mejor de todo para estar satisfechos, para que esa sonrisa asome a nuestros labios, es dejarse ir con la nave. Creo, sinceramente creo, que el hombre lo único que puede hacer es escribir con su letra el texto que ya está escrito, el texto del destino. Ayudarlo o empeorarlo con su propia caligrafía escrita por su propia mano pero nada más.

—*¿Qué se aprende del recorrido de esa nave, del viaje de la historia? ¿Cambia, se repite, va a los saltos, en espiras, hacia atrás, qué hace la historia, se deshace?*

—A mí me da la impresión que la historia es un poco pendular, no se repite pero tiene hábitos y vuelve a los sitios acostumbrados. La costumbre no es nuestra enemiga. Se dice que el amor se transforma en rutina porque la costumbre es enemiga del amor. No. ¿Por qué va a ser la costumbre enemiga del amor si no es enemiga de nada? Si un sillón acostumbrado es bueno y nos sostiene y nos ampara. La historia es nuestra maestra porque tiende a hacer lo mismo, sencillamente porque es historia del hombre y el hombre no ha variado esencialmente. El hombre desde hace tres mil años en esencia es el mismo.

—*Aquel hombre no creía en el fin de la historia. Aquel hombre temía más a la muerte que nosotros. Aquel hombre...*

—Ya, pero no estoy seguro que eso sea una conquista. Las culturas mortuorias, fúnebres, sentían que lo importante es esa larga vida que es la muerte. Esos ángeles que parpadean y que sólo conocen a los muertos, porque en definitiva los vivos somos como una centella que atraviesa el ancho de la noche. Creo que ese prescindir de los ritos mortuorios es una cobardía, una americanada, una norteamericanada. Me da la impresión de que echar miel sobre el funeral home y el maquillaje del cadáver y la toilette del cadáver, todo eso es no querer enterarnos de que nos morimos. Y si hay algo esencial, indudable, rigurosamente cierto y repetido hasta la saciedad, es que el hombre muere y que probablemente no es feliz.

—*Cristo cristalizado en la cruz. Mahoma medio volado*

26

siempre. Solo Buda parece saber qué le pasa a Occidente. Y se nos viene encima.

—El Buda está sentado. El Buda feliz siempre está sentado o tumbado, tiene una posición de comodidad, tiene una posición de verlas venir. No sale en busca de nada y eso es una actitud bastante sabia. Sin embargo, quizá por la cultura que tengo, prefiero las otras dos actitudes: el volar por el aire, el volar en la yegua que nos lleve hasta el séptimo cielo o el dar la vida crucificado o por nuestros semejantes. Creo que lo cristiano está en retroceso porque la Iglesia se ha hecho una administradora exclusiva de la verdad y eso es malo. La verdad no la tiene nadie. La verdad es como la carpa de un circo, llena de remiendos. Es como la razón. Existen razones, pero no existe la razón. El cristianismo retrocede ante esas grandes y feroces verdades. Digo a veces feroces, por lo musulmán, por lo fanático. Estoy seducido por las culturas y las religiones asiáticas que son largas, sabias, desdeñosas. Creo que van a avanzar todavía más, sobre todo porque va a retroceder el cristianismo. Formo parte de un país que por ser tan católico es uno de los menos cristianos que existen. Eso es terriblemente grave. El Cristo en este momento se suele editar en ediciones de bolsillo, fácilmente manejables y no sé cómo no explotan esos evangelios en los bolsillos de quien los lleva. Porque hasta ahora, la doctrina de Cristo nunca, nunca ha sido puesta en pie. Existe un sentido de la religiosidad muy íntimo que nunca se perderá supongo. El hombre vuelve ahora a las sectas que son, pues, la religiosidad al por menor. Vuelve porque necesita pensar que de tejas para arriba existe algo, que ese meter la cuña pequeña de lo humano en la gran madera de la divinidad ha sido siempre la ambición de todas las religiones. Pero yo creo que el hombre, el verdadero, el por venir tendrá siempre una razón de ser que será como el lema de una marca de refrescos que hay en España, que es "del naranjal a los labios". Dios se relaciona con sus criaturas sin necesidad de intermediarios. Por otra parte la religión, el religare, tiene que religar, es decir tiene que juntar mucho más y mucho antes que al hombre con Dios, al hombre con el resto de los hombres.

—*Si Narciso fuera escritor, ¿se miraría en las palabras?*

—Yo no sé si hace espejos. Procuro que refleje todo lo que está alrededor, y es tan hermoso. Cada mañana ver que el sol está ahí y que estaba ahí desde antes que nos levantásemos. Que hay flores y pájaros que cantan y se mecen en el aire dorado. Todo eso que está a nuestro alrededor, por lo que ni siquiera damos gracias, es lo que intento reflejen las palabras. Un narciso de alguna forma. Hay gente, quien se estima tanto, que se da en la creación entero y verdadero y hace una especie de eje de antropomensura. Se transforma en el ombligo del mundo. Pero hay gente que es narcisa pero no se gusta, es decir, tiene la aspiración de ser mejor, la aspiración de ser más hermosa, de verse mejor reflejada. Creo que yo pertenezco a ese segundo grupo de narcisos frustrados.

—*Hay escritores, políticos, actores narcisos, pero no parece haber tenderos, carniceros, floristas narcisos.*

—Es el público el que ofrece ese espejo en el que nos miramos sobre todo los autores de teatro, los creadores, los artistas. Estamos siempre esperando el diagnóstico del público. Suponemos que si el diagnóstico es bueno nos favorece. Es la misma equivocación que cometemos los vivientes, cualquier viviente: siempre pensamos que la vida es nuestra. Nosotros somos de la vida, nosotros somos algo en la mano de la vida. Y yo de verdad, en serio, no aspiro a ser otra cosa que un buen rotulador en manos de la vida. Que sople el espíritu donde quiera y que lleve ese rotulador. Aunque creo que se va a volver a la oralidad. En mi caso, el salto tecnológico más grande que podría hacer ya lo he hecho. He pasado de la pluma estilográfica al rotulador. Más no puedo hacer. Escribo a mano, escribo sobre papeles usados, escribo con una letra absolutamente mínima. Es verdaderamente tan difícil escribir a máquina el poema que reclama salir con esa delicadeza con que fluye la tinta del rotulador, no con el golpeteo de la máquina de escribir y mucho menos el ordenador. Yo dicto. Y la última corrección la hago al dictar. La tecnología no tiene demasiado que ver con la hermosura.

—¿*El menú de los pecados capitales? La gula...*

—¿La gula? He tenido una muerte clínica. Mi casquería, toda esa intestinación que tenemos dentro los seres humanos, está tan mal, que la gula es absolutamente incompatible conmigo. ¿La ira? La ira quizás sea el único pecado capital en que yo incurro porque me parece que amo la obra bien hecha y la amo tan del todo que me aíro conmigo mismo si no la soluciono de verdad y me aíro con aquellos que teniendo la posibilidad de hacerlo no la hacen. ¿Envidia? Creí que no existía. Había oído decir desde pequeño que era el pecado nacional español, pero desde hace poco tiempo comprobé que sí lo es. Hace poco, alargando la mano pude tocar esa piel mucilaginosa, espesa y sucia de la envidia. Es el pecado más triste. Un pecado amarillo que no se confiesa. El envidioso no puede decir que envidia porque eso sería naturalmente la confesión de una inferioridad. En cuanto a la soberbia, no sé. El español es vanidoso más que soberbio. La soberbia es fea pero tiene una cierta grandeza. El considerarse superior a los demás obliga tanto, que si no, se trasluce que uno es inferior. Creo que está bien pretender ser superior. No el mejor, sino el mejor uno mismo que uno pueda hacer. Eso está bien. Pero la soberbia tiene unas patas muy cortas y a lo que se suba en zancos, que es lo que hace, se transforma en vanidad. ¿Queda la lujuria? A mí me hubiera gustado ser lujurioso. Durante años creí poseer una adolescencia ardiente y lujuriosa. Hace poco descubrí que he tenido una adolescencia mas bien gélida y que soy frío, arisco e insoportable. Como lujurioso no soy un modelo. Y está la avaricia. En español se dice que "la avaricia rompe el saco" y es verdad. En España hay tantos avariciosos, tantos, que dan eso que se llama "el pelotazo". El ganar doscientos millones al año pisoteando a los demás. Pues ojalá se les rompa el saco de una vez. ¿Un pecado propiamente mío? No sé, creo poco en los pecados. El pecado es sólo aquello que hace daño a los demás, o que impide que nosotros nos cumplamos. Me parece que no tengo un pecado calificable. Tengo esperanza en el ser humano y si eso es un pecado, si espero y esperar contra toda esperanza es una tontería, la tontería será mi pecado capital.

—¿*Por qué tiene mejor prensa el señor Caín que el señor Abel?*

—Porque suele pintarse a los buenos como tontos. Me parece que lo que pasa es que Caín era de otra manera, era más ágil, era más movible, era el ganadero, o era el agricultor, no sé. El malo tiene más éxito y es el éxito lo que el ser humano envidia. Es triste pero probablemente es así. El hombre ha querido siempre crecer. El porqué de la droga no es otro que ése. Todo el mundo se droga, con lo que sea, la música de Wagner o el propio trabajo. Yo me drogo con mi trabajo. Es mi droga favorita. La que me enardece, me desanima, de la que tengo resaca y de la que tengo mono, como se llama al estado de carencia. Nos drogamos todos porque queremos ser más altos, más guapos, más inteligentes y sólo en el mundo de la droga, de la droga que sea, somos lo que querríamos ser. No nos contentamos con ser los segundos, los terceros y eso es una mala cosa. Porque ser el primero lleva consigo tal desdicha, esa permanente tensión de tener que mantener la primacía, de tener que mantenerse ágiles, esbeltos, siempre sin dar lugar a que otro de un puñetazo nos rinda sobre la lona. Tanto es así que cuando alguien nos rinde empezamos a saber lo que es la satisfacción de la propia derrota y la satisfacción de la cara amarga del desencanto.

—¿*Qué deberíamos hacer para saber quién es Dios?*

—Esperar. Si hay Dios, si Dios verdaderamente creó a la criatura, tuvo que dejar una huella de su creación en ella. Esa huella debe estar. No la imagen, porque la imagen de Dios no tiene nada que ver con nosotros. Lo nuestro es sólo sembrar y esperar que después de una larguísima cosecha de dudas, alguien nos diga, como a Pascal: "No me buscarías si no me hubieses ya encontrado". Es cierto lo que dijo el viejo Tales de Mileto: "También la naturaleza es sobrenatural". Por esto hay que esperar. Toda mi obra circula sobre un doble carril. Ese doble riel es la esperanza y la justicia. La esperanza es la virtud más humana. Tiene las piernas chiquitas y no se sabe cómo se da tal prisa al andar pero lleva a todas las virtudes con la lengua afuera detrás de ella. Y luego la justicia. Esa justicia física y metafísica de que cada hombre pueda darse cuenta de que sobre sus hombros sus hijos pueden crecer. La justicia para que cualquier hombre se cumpla y tenga la ocasión de decir su última palabra antes de romperse.

Sixto Palavecino

EL PRIMER VIOLINISTO DEL MUNDO

A la naturaleza le resulta cada día más difícil parir un hombre natural. Un hombre Adán, sin prótesis, con la memoria abierta, hijo del humus y la lluvia. Quedan pocos. La civilización se ha inclinado por el robot. Las culturas mayores derivaron del primer Cromagnon al último Bill Gates. Las menores, cautivas y fuera de circuito, en seres que guardan la inocencia original del hombre de Rousseau. El olfato de lo sagrado.

En la breve, minúscula cultura quichua santiagueña de la Argentina, nació Sixto Palavecino, duende mayor de una comunidad solidaria que se acomodó sin penas a un hábitat austero, en perpetua conversación con el paisaje. Fue en esos montes donde durante cuarenta y cinco años él hizo su persona. El tiempo que siguió —hasta sus ochenta y seis años de hoy— lo dedicó a peregrinar, violín en mano, para dar la buena nueva de su gente. A ser "un violinisto", como gusta decirse. Un evangelista de la tradición quichua. Un descendiente de aquel hombre natural que fuimos antes de comenzar a vivir, ociosos y plásticos, en los nichos de la virtualidad.

Conocí a Don Sixto en su casa de Santiago, bajo un sol de justicia y un calor sahariano. Hablamos en su cueva museo. En medio de mantas, alfombras, cabezas talladas, sillas bajas y utensilios domésticos nacidos de la geografía local. En lo alto de la iconografía doméstica, una foto de Argelia, su mujer ("como un país se llamaba"). Debajo, sobre una larga mesa color hueso, un pequeño animal en espera: su violín.

Sixto Palavecino es inquieto, ojos de niño. Firme, como el pelo de monte que cae juvenil sobre su frente. Se alzará de la silla veinte veces y apoyándolas con persuasiva gestualidad acentuará palabras y frases como si cantara. Este duende mayor de una cultura, guarda en su memoria un libro fascinante. Para leerlo, es mejor dejar de lado las preguntas del periodismo y mostrar nítidos y encadenados, los giros de su palabra encarnada. Así, en monólogo.

Tengo ochenta y tres años. Nací en el paraje Barrancas, departamento de Salavina, de la provincia de Santiago del Estero. En el monte trabajé desde chico, en los quehaceres de mis mayores. Criar animales: cabra, oveja, vacuno, yeguarizo, mular. Allí vivimos para sembrar y cosechar. Esa cosecha no era para la venta sino para nuestro consumo y el de los animales. Teníamos molino harinero, que lo tirábamos con dos mulas o tres. Lo hacíamos para nosotros y a veces para vecinos cercanos. No conocíamos qué es comprar harina, pan ni azúcar. El monte nos regalaba todo. Por ejemplo, la miel que dejan las abejas en el quebracho y en el algarrobo (al que le llamamos "el árbol" pues es el que más nos sirve, el más importante de todos). A esa miel la encontrábamos también en los cardones y en el ucli, que es un cactus. En huecos abiertos en troncos y tallos donde las abejas llegaban a dejar hasta un kilo o dos de miel. Quedaban allí como paneles olvidados y los descubríamos al ver tantas abejas entrar y salir de esos huecos. Esa miel era nuestro azúcar, pero más sana, más puro alimento. Con ella, además, hacíamos aguadulce.

En esta pureza hemos sabido vivir y crecer allí. Como hijos de la naturaleza y servidos por ella. Ella no nos faltaba nunca. Si salíamos al monte teníamos enseguida un pichi, que es como un peludo pequeño, o cualquier otro bicho del monte, un conejo, una perdiz, una mulita. No porque nos faltara carne sino por costumbre. Poníamos trampas, cinco o seis, y allí amanecía zorro, gato barcino, o montés. A veces caían vizcachas y algún conejo. También sabíamos cazar león. En el monte le decimos león al puma de allí, que es muy carnicero. Tanto, que mata de gusto.

Todo lo que el hombre debe comprar en la ciudad nosotros lo obteníamos gratis del monte. No las mismas cosas pero sí las necesarias para nuestra costumbre. Claro, en el monte no había vasos de cristal o de vidrio pero teníamos los de asta de vaca, de torito. La gente que no podía, usaba el asta así nomás y el que podía, el que vivía mejor económicamente, tenía el asta, pero con boquilla y otros adornos de plata. Bien hechitos, bien labraditos. Y como en el campo hay de todo, desde el más humilde al más poderoso, había quien usaba las astitas con boquillas de oro.

Utilizaban muy bien al animal de consumo. Por ejemplo, al matar un vacuno se preparaba muy bien el secado del cuero para luego cortado en lonjas finas utilizarlo en atavíos y aperos o ya más gruesas en el armado de la base de los catres para dormir. En los trabajos del monte, por lo general el hombre esquila y la mujer hila. Allí las mujeres rezan y tejen y los hombres andan hachando o con los animales. Aunque en junio esquilan juntos hombre y mujer. Es el momento. Luego las teleras se ocuparán del hilado y de los diversos tejidos. Para cubrir los catres hacen cubijas (cobijas) que llevan a lo largo del orillo rapacejos (borlas) colgantes y mantas. Para el apero, tejen caronillas. Siempre tratan de dar una novedad y se esmeran mucho tanto en los dibujos como en los colores. Las anilinas las da el monte, como todo. Ellas las sacan de las raíz de la pata o de la cáscara del árbol negro (algarrobo) y también las consiguen macerando la grana, hongo que cubre a la tuna, planta que también nos da un buen fruto, como es el higo chumbo.

Hasta mis nueve años yo no sabía media palabra de castellano. Nada. Todo en quichua. Yo desde el vientre de mi madre respiraba quichua. Al nacer he llorado en quichua. Mi primera palabra fue en quichua. Mis padres, mi abuelo, fueron totalmente analfabetos. A la ciudad me llevó el sueño de hacer estudiar a mis hijos. También el de musiquear y cantar en quichua a mis hermanos de la provincia.

Todo esto se me ha cumplido gracias a Dios, por aquello que tengo, lo que Anajpacha ("el altísimo") me dio: el don de tocar el violín. Lo aprendí en el monte, solito, solito y hablando y cantando en quichua por todos los rinconcitos del país.

Mi madre murió cuando yo tenía doce años pero ella alcanzó a contarme su vida. En su época, una pareja se juntaba sin casarse legalmente. Eso era el seruinackuy, el servirse mutuamente. Vivían, tenían hijos y si la pareja se llevaba bien, entonces, a la larga y con hijos ya grandes, se casaban legalmente. O decían "no, nos llevamos bien" y listo. No se casaban. Algo que recién ahora aprecio. Mi madre me contó que se casó, tuvo una mujercita y muy pronto le mataron al marido en un baile. De una puñalada lo mata un tipo. Queda viuda y con hijita de dos meses, que muere medio año después. Queda solita. Ella tenía una majada: cabras, ovejas, vacuno. Ya libre, formó noviazgo con otro hombre pero como le resultó calavera decidió no casarse para que los hijos no llevaran el apellido de ese hombre sino el suyo. Así hizo. Ella era Palavecino. Ahora le doy valor a todo eso. Qué conducta. Una mujer sachera, esto es, montaraz. Una mujer del monte, analfabeta. De esta relación nosotros fuimos tres varones, porque, como dije, la primera murió. Todos nos formamos en el vientre de nuestra madre, pero en mi caso pienso que me ha dado todo lo que ella era. Su sangre, sus costumbres, sus vivencias. Soy como una reencarnación de mi madre y es lo que yo siempre agradezco primero a Anajpacha, el que está arriba, el todopoderoso.

En el monte no conocíamos ni médico, ni enfermero, nada. Sólo al curandero, al manosanta. No sólo curaba con hierbas y polvos, también con palabras. Y hasta dando consejos para vivir.

La gente que acudía a verlos les pagaba con productos o con monedas, según. No había médicos pero sí herreros, carpinteros. Los oficios que hay en la ciudad estaban. ¿Quién les enseñó? Aprendieron de sus mayores que hacían sus muebles con madera de quebracho blanco, algarrobo y otras plantas. Al quebracho colorado no, pues su madera es distinta, más dura y más pesada. Usaban el vinal, el huiñaj, una planta que florece de repente anunciando así el cambio de tiempo o una tormenta. Por eso la llaman "el astrónomo del campesino". Da unas bellas flores amarillas y este fenómeno sucede hasta en la época en que no hay floración. Esta madera del huiñaj es buena para trabajar. El carpintero lo hacía con serrucho mediano y también el de dos manos, con una persona en cada punta. Con mucho sacrificio sacaban así del algarrobo unas tablas gruesas para hacer los catres de tientos, las mesas pesadísimas y las tiacunas (sillas) grandes o chicas. También había herrerías, platerías, fundición. Allí se hacían bombillas, pasadores para riendas, tantas cosas. Se veía la habilidad y el gusto en aperos, pasadores para riendas, cabezadas para estribos. En los bastos, la cabeza era toda de plata con iniciales de oro, de igual forma se adornaba el mate, las hebillas y las rastras. Yo usaba cinto con una hebilla cuadradita, linda, con SP de oro en el medio. Los aperos tenían que ser así, a cual mejor. De lazo puro y suela, se usaba. Se decía "el lujo del hombre está en el apero". Las señoras les decían a sus hijas, sobrinas, nietas, "Huahitaé carietaca cae aperon manta". Que "por el apero se lo conoce al hombre", para que así se fijaran las chicas. De ahí nomás podían conocer qué hombre, qué varoncito es.

Pues sí, ésa era nuestra manera de vivir. Todo unido a todo. Y así como daban ese consejo a las niñas, cuando se formaba un noviazgo le pedían al hijo varón que se fijara bien en la raíz, el tallo, el tronco de donde provenía la chica. Abarcando todo: cómo es el padre, la madre, cómo viven y abarcando el cuerpo también.

En el sentido, bueno, aquello, no sé cómo se dice... la parte sexual, vamos a decir. La conducta de la jovencita. Y de parte de la chica también sobre el varón, el novio, de fijarse primero de dónde viene. Tenían que rastrearlo bien. Mi abuelita decía que a veces podían tener hijos de soltera y que en ese caso, ya caídas en esa desgracia, debía fijarse bien de qué hombre los tenían, pues de caer en manos de cualquiera el hijo no les iba a servir para nada. Que si lo adquirían de una persona que sirve, de un hombre que realmente vale, entonces en el mañana ese hijo les iba a criar a ellas, les iba a servir, pues en él se iban a poder afirmar y les sería muy útil. Así le daba ella consejos a las chicas.

Era así el mundo quichua de mi época. Muy hermanados, tranquilos. Entre vecinos jamás se cobraba un centavo. Si alguno necesitaba hacer algo, todos allí para colaborar. Había solidaridad. Para hacerse la casa, los muebles, el cerco, la siembra, la cosecha. Todos juntos ahí. A la gente de menor posibilidad se le daba el producto, pero no como paga sino como ayuda. Si algún vecino así, que no tenía ni gallinas, enfermaba o flaqueaba, ya mi madre nos decía: "Vení hija, vení hijo, entrá al corral, carneá y dale de comer a tu enfermo, no vaya a estar ahí sin alimentación" o directamente le decía al vecino: "Vengan a sacar leche. Traigan sus tarros, sus baldes, saquen leche y lleven." Así era mi madre.

Ahora, a esta edad, añoro mi pago, mi tierra, aquel monte, aunque fuera sufrido. Aquella gente sólo por ser muy fuerte se criaba, crecía y se mantenía. No sabíamos qué era la vinchuca. Era una cosa natural. Del Chagas sabemos hace poco. Se moría la gente pero no sabíamos de qué. Perdí un hermano de veinticuatro años. Y bueno, se enfermó de gripe y luego hubo una complicación. ¿Y quién lo iba a curar? Apenas un curandero que venía, estaba a su lado, le ponía pañitos fríos en la frente y así. Eso era todo. Sólo hemos crecido los fuertes.

La gente nos decía campis, campesino, campis dicho con desprecio: "Ese campis, qué va a saber". No se daban cuenta que el campis es más inteligente que ellos, los puebleros, los de la ciudad. Mire usted, nosotros tenemos una facilidad, hasta una acentuación para hacer, para crear. Aunque no debo decir crear porque sólo Dios es el creador. Nosotros somos copiadores. Uno copia la maravilla que Dios derrama por allí. Ésa es la mentalidad del paisano, del campis, del que se ríen. Pero el campesino es vivísimo. Tiene las picardías del zorro, ¿no?, el muy pícaro. Capaz que no le contesta nada, pero lo está sobrando. Es inteligente. Digo por allí, en una chacarera mía, en unos pasajecitos muy cortos: "Parece que anda machado / un zorro le pega gritos / y de un jume hasta un coyuyo / dispara un sachapollitos". Es así, el zorro pega gritos. Es muy astuto, es considerado un pícaro. Cuando vamos a la oracioncita, así de noche, por el caminito de los montes, aparece adelante, parado allá, y cuando usted se va acercando, se mete en el monte. Usted sigue y no se le ve para nada y cuando usted ha pasado lo busca atrás suyo él vuelve a salir adelante, en el caminito. Por eso ahí digo que se burla, que se me aparece y se pierde. Así lo digo en la chacarera. También sobre gallinas con el gallo escribimos coplas: "Yo tenía una gallina / que al gallo le reclamaba / qué desgracia andar descalza / cada tanto le gritaba". Ella reclamaba, como dándole tantos pollitos y siendo él un caballero, la tiene descalza. Y continúa: "El gallo medio molesto / se paraba a contestar / zapatos con tantos dedos / de dónde quieres sacar". Y así sigue la chacarera. Así uno aprende de estas cosas, ¿no? La naturaleza es tremendamente sabia. Y la gente del monte aprende de ella. Mi abuelo, que murió a los ciento veinte años, era un hombre muy sabio. Se llamaba José Martín Palavecino. Siempre sentadito con su bastón. Le decíamos Tata, padre, Martin, hombre sabio en las costumbres del monte. Tocaba la guitarra y cantaba. La gente campesina también se divertía. Había carreras cuadreras, riñas de gallos, el juego con la taba y cada año, por su época, los carnavales. Luego estaban los rezabailes que se hacían para cumplirle una promesa a un santo. Cuando a uno se le perdía un animal o se le enfermaba un familiar se encomendaba a San Roque. Y si sana mi enfermito, te voy a hacer un rezabaile. Entonces, al sanar, lo cumplían en un rancho donde lo tenían a San Roque. Un altarcito, una sábana blanca almidonada y una mesita donde está el santo. Se reúne el vecindario y rezan. Póngale una hora. Terminado el rezo, los músicos a tocar y a bailar la gente. Otra hora, o dos horas, a rezar, luego a bailar y así hasta que venga el día. Los muchachos íbamos a caballo a los bailes, a los rezabailes. Los vecinos se juntaban y venían por los caminos varias familias, a caballo, y los que eran de lugares cercanos, a pie. Así conocí a mi señora. En esa época, la relación con la mujer era más distante. Si iba a visitar a mi novia, visitaba a los padres. Ellos me recibían y a la novia yo a veces ni la veía. Cuando venía se sentaba al lado de sus padres. Sólo eso era. Y volvía a irse. La escondían. ¡Qué cosa seria! Así era. Así la tenían a las hijas. A mi señora la conocí mientras yo tocaba en un rezabaile de San Antonio, que dicen que ayuda a conseguir novias. Esa noche, en un momento del rezo, le hablé a mi señora. Ella estaba sentada al lado de su madre. Ya nos habíamos mirado, desde la distancia, ¿no? San Antonio fue el padrino. Cada santo tiene su especialidad. Así es la cosa.

Como ve, nuestra forma de vivir en el monte es muy propia. Es mucho también lo que allí se aprende y se copia de los animales y de toda la naturaleza. De los balidos, de lo que cantan los pájaros, del silbido del viento, de las hojas, del sonido de los gajos al rozarse por el viento. De pronto viene el viento, se nubla y uno se encuentra ahí —donde no hay ni un rancho, ni un cobijo— con esos quejidos, como un llorar, es para tener miedo y uno empieza a desconfiar. Cuando eso pasa los campesinos dicen que Dios ha dejado un alma, una persona pecadora, a que sufra por sus pecados y que ése es el que llora, el que se queja. Así son las creencias quichuas.

Lo que sé por mis mayores es que en mi pago no quedó ningún nativo quichua. Puro, nativo, no quedó ninguno. Fueron exterminados. El mismo drama que sufrieron mayas, aztecas y también los araucanos, lo sufrió el pueblo quichua. Fue exterminado por los españoles. Cierta vez, a una dama que creía que yo era quichua puro le aclaré que no los había desde muchos años atrás, que ni siquiera mis abuelos o bisabuelos llegaron a conocerlos. Ningún nativo quedó y sólo tenemos de quichua lo que traemos en la sangre.

Cuando era chico, fíjese usted cómo es la vocación, o sea lo que Dios a uno le ha dotado, seguramente el todopoderoso. Yo juntaba botellitas, tarritos y los formaba uno al lado de otro, así paraditos. Primero les tomaba el sonido con dos palitos, del mayor al menor. Solamente con botellas vacías pues así es cuando tienen distinto sonido. Yo no sabía si eran sol, re, mi, ni tenía idea de música. Sólo sabía armarlo. Del más finito al que sigue, al que sigue y así hasta el más grueso. Así sacaba un gato, una chacarera. Con las botellas, tocando con los palitos y acompañando con la boca. Haciendo mnbb mnbbb con la esquina de la boca, sacaba el violín. Y con chac, chic, chac, el rasguido de la guitarra. Y hasta conseguía hacer el acompañamiento de la chacarera con un chc n d chc, chc n d chc, chc n d chc. Pero a mí nadie me enseñó música. Solo el monte me enseñó. La chacarera es alegre, por eso es contagiosa. El que la escucha se pone contento porque es ella la que obliga a estarlo. Chacarera, Gato, Escondido, también el Palito, la Arunguita, el Remedio, la Huella. Todo esto hemos sabido tocar nosotros.

En quichua le decimos pincuyo a un instrumento que usamos para tocar, divertirnos y comunicarnos. Es un pito de barro cocido, alargado y angosto. Al pincuyo lo hacíamos nosotros mismos. Con la forma de un mate grande, con piquito y de tres a cinco agujeritos. Soplábamos del piquito y con los dedos hacíamos las notas en los agujeritos. Lo usábamos mucho los pastores, cuando íbamos cuidando los animales por los montes. Como allí no nos podíamos ver, con nuestro pincuyo teníamos la forma de avisarnos donde estábamos.

Donde nací era como una isla lejos de todo el mundo. Pero una isla donde si había dos, tres hermanos, era seguro que había dos, tres violines. Había un hombre cieguito que era el mejor de los mejores para tocar el violín. Parecía un profesor. De ahí, creo, vino la semilla, digamos. Había no menos de veinte o treinta violines en la zona de Salavina de donde soy. Yo me crié en medio de los violines. Fue recién al venir al pueblo, ya con cuarenta y cinco años, que supe que el violín entró con los jesuitas, con San Francisco Solano, cuando conquistó a los indios. En vez de con armas, con música.

Empecé con un violín haciendo travesuras de chicos, haciendo yo mismo mi violincito. Todo fue por esa idea que Dios me ha dado. Corté una tabla que había en la mesa de mi madre. Se había salido y estaba allí para ser arreglada y vuelta a clavar. La tenía allí, guardadita, parada en un rincón y yo le robé esa tabla. La corté en dos pedazos medianitos nomás y le fui dando forma de violín. Dejé un margen, marqué las curvas y las vueltas y comencé a cavar con la punta de un cuchillo. Cavar, cavar, a las dos tablas las cavé hasta dejarlas finitas. Luego les marqué las dos eses que tiene el violín. Y en la esquinita, en las puntas de cada S, le hice un agujero con hierrito quemado al rojo. Cuando tuve a las tablas delgaditas y acabadas las uní con una resina que sale del quebracho. Pero como no pega tan fuerte, tan firme, le puse clavitos finos muy distanciados, clavos que sacaba de cajones viejos. Y así me quedó la caja de resonancia. Así lo hice. El arco, un arquito medianito, lo saqué de la cola de un caballo tordillo que teníamos, Cuerdas había dentro de las guitarras de mis hermanos, de mi abuelo. Con cada cuerda que se gastaba o se cortaba hacían un rollito y lo largaban por la boca de la guitarra, así es que la guitarra siempre estaba llena de cuerdas. De ahí las saqué y encordé el violín. Ése fue mi primer violín. Cuando mi madre, Petronila se llamaba, lo descubrió, se molestó.

—¿Qué es esto?

—Violín —le dije.

—Ah, no, eso no lo vas a aprender. No voy a dejar que aprendas porque vas a ser un borracho, un calavera, un enfermo. Vas a andar por ahí. Vas a ser un enfermo. Un tísico.

Yo me largué a llorar.

—Esto lo voy a desarmar. Lo voy a quemar —me dijo.

—No, no, yo lo voy a desarmar —prometí, con lloro.

Ella no dijo nada más y siguió con el trajín del día. Cuando se descuidó agarré el violín, lo llevé al monte y lo guardé en el hueco de un quebracho añoso. Allí lo tuve más de un año. Con su arquito envuelto en un trapito. Dos o tres veces al día iba y lo visitaba. Iba a caballo, cuidando mis ovejas, mis cabras. Iba a esperar a las vacas a los pozos para baldear y darles de beber. En el monte el agua es todo porque no la tenemos. Sólo hay la de lluvia hasta septiembre. Luego están los aljibes y los pozos de donde la sacamos con baldes. Ésta era una de mis tareas y en eso pasaba mi tiempo. Por eso, cada día, tanto de ida como de vuelta me iba a ese quebracho. Sacaba el violincito, tocaba, lo guardaba otra vez y me iba. Así vivía.

Una noche, busqué el violín y me lo traje a casa. Lo guardé detrás de un mueble. A los pocos días, era verano y mis mayores descansaban a unos metros de la casa. Saqué mi catrecito de tientos, me situé lejos de ellos y tendí una sabanita con la que me tapé. Ya no veía la hora de poder tocar. Traje el violincito y parando las rodillas, haciendo como un hornito entre ellas y los brazos acomodé el violín y empecé a tocar, acostado en el catre. Uno de ellos alcanzó a escuchar y preguntó de dónde saldría eso. Yo ahí nomás dejé de tocar, me callé. Otro comentó si no sería la salamanca. Así llamamos en el monte a una especie de pozo, de cueva, en donde suele aparecer y vivir una mujer vieja que tiene poderes del demonio. La gente acude allí a pedir favores, curas y todas esas cosas. No es muy bien visto ir allí. Si, para darle un ejemplo, aparece en el monte un músico así, salido de la nada, sale tocando bien de pronto, sin saber de música, la gente lo primero que dice es que se arregló con la salamanca, que estudió en la salamanca. No es mi caso, yo siempre digo que a la salamanca entré por la puerta de atrás. Y que cada cual piense lo que quiera.

Pues bien, como le contaba, ellos de pronto se quedaron callados y yo me callé. Luego retomaron su conversación y entonces yo volví a tocar. Pero uno de ellos, que se había dado cuenta y al que yo no veía, se puso a mi lado, me destapó y así me descubrió. "Ah, conque eras vos." Y así fue que me llevó con los otros, quienes me hicieron sentar en una sillita, "¿Qué sabés tocar? ¿Chacarera, gato? A ver, tocá..." Y toqué. De ahí en más ya me dejaron tocar.

Mi mayor alegría es que esta música sachera, montaracita y el idioma quichua hayan trascendido. Lo hago en nombre de mis ancestros y me alegro que nuestro pueblo lo reciba de esa forma tan plena. Es una de las formas de honrar al padre y a la madre. Y más allá, a los padres y madres anteriores. Porque para mí el quichua es algo sagrado, como entrar en una iglesia. Para entrar al templo hay que persignarse, con todo respeto, como buen cristiano. Yo, adonde llego, saludo en quichua y si tengo que cantar, canto en quichua. El quichua es sagrado. Quichua castellano santiagueño, porque en el Perú es quechua. Mi provincia tuvo la suerte de que este idioma, esta cultura sachera, echara sus únicas raíces en la Argentina. Calculamos que habrá unos ciento treinta mil quichuahablantes. Santiago del Estero tiene veintisiete departamentos y en catorce de ellos se habla quichua. Es para ellos que hace treinta años hice nacer un programa radial que se llama Alero Quichua Santiagueño. Alero, por no tener puertas, es lo que sobresale del rancho, de la casa. Allí se arrima el que desea, el que se identifica con nuestros quehaceres y raíces. Antes de empezar cada programa decimos "Ama sua, ama yuya, ama ckella". Éste es el saludo inca y significa "Ni ladrón, ni mentiroso, ni haragán". Porque el idioma quichua fue muy despreciado. Lo querían hacer desaparecer. Era prohibido por los maestros. Yo tuve la suerte de tener en mi escuelita de Barrancas un director que al contrario de prohibirlo, cuando yo le hablaba, lo aceptaba. Para mí era una cosa normal. Yo no estaba con vergüenza, porque la gente de los pueblos les decía "no, no hables, es una vergüenza, ésa es lengua de indios".

Yo creo en el destino. Uno llega a este mundo y sale por un camino. Si es malo, y sigue, y sigue, y sigue, y le va mal, pues es porque el destino es así, está marcado así. En cambio, si uno sale a ese camino malo y se dice: no, no, éste no me gusta, voy a buscar otro mejor, y lo busca y entra y tampoco es tan bueno pero sigue y así hasta que lo encuentre, bueno, pues así es como se puede ir mejorando el destino. Porque el hombre también elige el destino. No nos va a llegar la suerte cuando estemos echados panza arriba. Y aquel que arrastra el destino de no tener esa aspiración de mejorar, bueno, va a terminar como le marca el destino. Es su destino.

CRISTÓBAL COLÓN

EL GRAN CHOZNO DE LA MAR OCÉANO

A las cinco de la mañana del viernes 3 de agosto de 1492, poniendo proa al mar (y espaldas al Puerto de Palos) Cristóbal Colón debía estar pensando en muchas cosas, todas ellas difíciles. La más: saber qué le depararía el destino, si descubriría o no las Indias yendo por donde comenzaba a ir. Imaginaría monstruos, el más allá, un infierno sin agua, el final del tiempo... Pero lo que seguramente no imaginó es que cuatrocientos ochenta y cinco años después ocurriera con su nombre (y con su sangre) algo digno de Borges: que un periodista llegado del Nuevo Mundo atravesara una mañana de julio de 1977 Madrid, que a cien metros de la calle de los hermanos Pinzón entrara en una casa, y ya en el sexto piso, golpease la puerta en donde reza "Bienvenidos a bordo", y al abrirse ésta y aparecer un señor, intercambiaran estas palabras:

—¿*Almirante Cristóbal Colón?*
—Sí, soy yo, encantado.

Ante esta prolongación para nada quimérica sino literalmente histórica, el primer problema que se me presenta es cómo dirigirme a quien ya me hace pasar "a bordo" de su piso. Es que uno no le puede decir Toto, Quique o Charly a quien es de hecho y de derecho el Excelentísimo Señor Don Cristóbal Colón de Carvajal y Maroto Hurtado de Mendoza y Pérez del Pulgar, XVII Duque de Veragua, XV Duque de la Vega, dos veces Grande de España, XVII Almirante y Adelantado Mayor de la Indias y XIX Marqués de Aguilafuerte.

—Perdón, pero... ¿cómo debo llamarlo?
—Cristóbal, a secas.

No es que a partir de esta repuesta me sienta tan cómodo como un hermano Pinzón, pero ya es otra cosa. Sobre todo, porque este Cristóbal Colón, decimoséptimo descendiente directo del Descubridor, es un personaje vivaz y cordial, con arrebatos argentinos en la gestualidad y el tono y con un sentido del humor "fuera de borda".

—Menos mal que a mis padres no se les ocurrió añadirme ni el santo del día ni el nombre de mi abuelo. Ya estaba bien con lo de Cristóbal Colón de Carvajal y Maroto. A uno de mis antepasados lo llevaron un día a la comisaría. Cuando el guardia que lo interrogaba escuchó "Cristóbal Colón" supuso que se estaba pasando de listo y lo tuvo una noche en una celda de vagos.

Quien me habla, este concreto y contemporáneo Cristóbal Colón, nació en Madrid el 29 de mayo de 1925 y estudió en la escuela de las "Damas Negras" de donde lo echaron muy pronto, junto con su hermano, "por negarnos a vestir un blusón que nos hacía parecer niñas". Estudió después con los jesuitas en un colegio que vaya redundancia, se llamaba Cristóbal Colón. Tras el bachillerato ingresa en la Marina Española, en la que ha recorrido numerosos mandos, desde los patrulleros iniciales hasta el barco escuela Juan Sebastián Elcano. En el ministerio revista como capitán de fragata aunque con algunas salvedades que los genes imponen. Por un lado, y así lo registra el boletín oficial, es la tercera jerarquía del arma (después del rey y del ministro) con cargo de Capitán General. Por el otro su nombre reaparece en la página correspondiente a los capitanes de fragata. Y esto es así porque en el árbol genealógico de su familia está nada menos que aquel que con su hazaña consiguió "la mayor cosa después de la creación del mundo", como alguien calificó al descubrimiento de América. Él aporta datos:

—En realidad, por las Capitulaciones de Santa Fe, firmadas el 30 de abril de 1492, lo que Colón firma con la Corona es un contrato. Los Reyes Católicos le dan el título de Almirante, Virrey Perpetuo y Gobernador de Islas y Tierras Firmes que descubriera y por descubrir. Dato sumamente importante, pues pulveriza toda polémica, ya que entonces quien descubre América es un almirante español. Por su parte Bartolomé, su hermano, es nombrado Adelantado Mayor de las Indias. Al morir ambos el que heredó los títulos fue don Diego Colón (hijo de Cristóbal), quien se casó con doña María de Toledo, sobrina del Duque de Alba. Ella es la que pleitea con la Corona porque a Colón no le cumplieron el contrato que entre otras cosas establecía la posesión de la décima parte de las tierras que descubriera. Este pleito concluye en 1537. Carlos V le da la razón, pero a partir de esa fecha el Virreinato de los Colón pasa a serlo del Rey. A los Colón les dan una renta de miles de ducados y la isla de Jamaica en propiedad con el Título de Marqués de Jamaica, y Duque de Veragua, con propiedad de lo que era la antigua Colombia. Hoy Veragua es una de las provincias de Panamá, una diez mil leguas. Se establece además que de allí en más todos los primogénitos heredarán esos títulos y el permanente de Almirante y Adelantado Mayor de las Indias, como es mi caso, y, cuando yo no esté, el de mi hijo Cristóbal que ahora tiene veintisiete años. Es marino también. Entre los diecisiete Cristóbal Colón ha habido cinco marinos, un ministro y varios jurisconsultos. Pero, actualmente, lo que más me alegra es ser presidente de los Boy Scouts de España.

Dinámico, rodeado por mapas, libros, documentos, entre los que se cuentan por millares los referidos al Descubridor, este moderno Cristóbal Colón ha cumplido una importante labor como historiador. Su lema es "Quebrar para no doblar" y su obsesión "no dilapidar el tiempo". De allí que se le conozca tanto en muchos países por sus trabajos de erudito, que esté cargado de Grandes Cruces (entre ellas la nuestra, de Mayo) y de títulos académicos. Ha dado más de una vez la vuelta al mundo y "como símbolo humano" presidió en octubre de 1971 el magno Desfile de la Hispanidad celebrado en Nueva York.

—*¿Y usted qué piensa sobre la cuna de su superabuelo?*
—No sabemos el origen de Colón porque él, evidentemente, quiso ocultarlo. Cierto que ha escrito en castellano, en portugués y en mal latín. Y también es cierto que no existe un solo escrito suyo en italiano. Pero todo esto para mí carece absolutamente de importancia. El hecho es que fue un almirante de los Reyes Católicos y por tanto un almirante español quien descubrió el Nuevo Mundo.
—*¿Y sobre su personalidad íntima?*
—Me remito a lo apuntado por Gregorio Marañón, que escribió: "y que cuando los demás temblaban ante el misterio y los terrores, él escribía en su diario de a bordo: 'Era, en la mar, un placer tan grande el gusto de la mañana, que no faltaba sino oír a los ruiseñores'".

El decimoséptimo Cristóbal Colón está casado con doña María de la Anunciación de Gorosábel y Ramírez de Haro y son sus hijos, Cristóbal (27), Diego (25), Alfonso (24), Anunciada (23), Ignacio (22) y Jaime (21). Un Goya preside la sala.

—Es el retrato de una antepasada mía, pero no le dirá nada porque Goya a todas las señoras las pintaba igual. ¡No ve la cara larga que tiene!... ¿Usted sabe que mi "hobby" es la pintura? Pinto mal, pero miro y admiro a los grandes maestros. Me gusta mucho el impresionismo. Y Goya me entusiasma. En cuanto a deportes puedo decir que casi nací a caballo porque practiqué la equitación desde muy niño, y mire usted (va veloz hacia la biblioteca) tengo algunos libros sobre caballos que son fabulosos, este, por ejemplo, que se llama "Pelajes Criollos", o esta fusta que es una belleza y tiene el nombre "Argentina" grabado en plata. De su país siempre recuerdo grandes amigos, como Ernesto Uriburu. ¿Usted sabe que soy campeón del mundo en crucero? Claro que no quise poner el título en juego nunca para seguir siéndolo...

Este insólito Cristóbal tiene como especialidad en su carrera las armas submarinas y como actrices preferidas a Loreta Young y Carole Lombard. La ciudad que más lo ha impresionado es Cáceres, de noche (Extremadura, España). Y como naturaleza, la selva del Amazonas ("algo fuera de todo adjetivo"). Confiesa que el hombre más extraordinario que conoció es "El gran Ságila, o jefe de la tribus cunhas de las islas de San Blas en Panamá. Fabuloso tipo por su carácter, hablando un perfecto castellano antiguo y que para asombrarme más, me preguntó, al despedirse, por la salud de las Reyes de Castilla".

Entre sus preferencias están el color verde, el clavel, la esmeralda, el caballo, el esquí, y después de Colón, naturalmente, sus personajes históricos más queridos son Hernán Cortés y Carlos V. El lugar común que más le molesta es "los momentos coyunturales", y el epitafio que desearía, "Aquí yace un marino". Su fobia máxima es que le pregunten "¿Es usted marino por llamarse Cristóbal Colón?". Como es obvio, este nombre le pesa ("Aunque a otros les pesa mucho más") y ha sido motivo de múltiples anécdotas.

—Entrando a Cádiz con mucha niebla pedí un práctico y al final del viaje redacté el certificado convencional para que le pagaran su trabajo a este hombre. Escribí entonces: "Yo, Cristóbal Colón, 2° Comandante del barco..." Se lo entregué al práctico y éste estrujó el papel, lo tiró, se marchó ofuscado y se quejó luego a la Marina diciendo: "¡Hay unos locos...!" Querían arrestarlo pero por supuesto lo impedí. En fin, ha habido tantas como ésta... Fíjese que casi siempre digo que me llamo Cristóbal Veragua o Duque de Veragua (así estoy en la guía telefónica). A los que nunca puedo engañar es a los recaudadores de impuestos. Ellos creen que porque me llamo Cristóbal Colón tengo mucho dinero...

Salimos a la terraza (como se dice en España al balcón) y sobre la pared hay una chapa municipal que dice "Plaza de Colón" ("regalo de unos amigos trasnochadores que la vieron y dijeron: ésta tiene que estar en otro lugar".) Ha traído la Gran Cruz de Mayo y posa con ella en sus manos como saludo a la Argentina. Y así, como al pasar, Cristóbal Colón, Almirante y Adelantado Mayor de las Indias, me dice:

—¿Y usted sabe cuál es el primer recuerdo que tengo de niño?
—*No.*
—El de mi padre vestido de capitán de la Escolta Real, mientras su asistente, limpiándole las botas altas, cantaba "Adiós muchachos, compañeros de mi vida..."

Y olvidando la entrevista el gran chozno lo cantó hasta el final.

(¿Cómo no iba recordar este tango la tarde de 1983 en la que una bomba puesta por ETA debajo de un automóvil en Madrid voló el cuerpo del almirante cantor y el de su esposa?)

Corín Tellado

LA REINA MADRE DEL FOLLETÍN ROSADO

"Voy con los tiempos. Me mantengo", dice la asturiana de un metro cincuenta y seis centímetros de altura llamada por su madre María del Socorro Téllez López y por las contadurías literarias, Corín Tellado. Un logotipo, una máquina de batir las emociones más fugaces de la especie. Una sacerdotisa rosa que toma una pareja tipo, la involucra en una secuencia tipo y tras hacer de la desdicha un chicle tipo, la conduce hacia la puerta de una dicha tipo. La Tellado, la que no escribe libros sino bibliotecas, vende más que Cervantes y resuena por igual en los kioscos de Oriente y Occidente con obra que supera los cinco mil títulos (doble sic). Ella llama "mis novelas" a unos patológicos folletines en los que "riza el rizo" del sistema amatorio de él y ella, y luego vende hasta alcanzar los trescientos millones de ejemplares.

Su receta: sumergir a ella y él en el caldo de una pasión y enseguida echarles un precipitante que pone todo al rojo: el otro, el antagonista. Ya enlazados los tres, los revuelve a una temperatura de quince folios hora, evitando que se espesen. Al día siguiente, tanto temblor será recogido, foliado y en fosforescentes portadas de besos, alistado para su distribución. Pocos días más tarde, una muchacha llorará en Bruselas, otra se agitará en Budapest o en México D.F. y así. La reina madre del culebrón lleva cuarenta años alentando la máxima cardiopatía mundial sin que nunca en sus libros alguien matara o muriera por amor. No es romántica. Tristán, Romeo o Werther le parecen tres imbéciles. Mario Vargas Llosa, Cabrera Infante y otros colegas la elogian "por ser única". El cubano le desnudó el enigma y le puso el marbete: "Corín, pornógrafa inocente".

—Ahora escribo para la nueva generación. Me olvidé de la vieja. Escribo sobre los desempleados, las chicas conflictuadas. Centro todo ahí, en la juventud. Estoy en el mundo del libro desde hace cuarenta años y sigo vendiendo igual. Me mantengo. Voy con los tiempos.

—*¿Pero cómo se llegan a escribir cinco mil libros?*

—Muy fácil. Vivo para eso y salvo dos días que reservo para mí, los demás los dedico al trabajo. Lógico es que en cuarenta años haya sacado mis cinco mil novelas.

—*¿A qué llamas estrictamente novela, Corín?*

—Pues una novela es una historia sentimental, a veces social.

—*Te lo pregunto en cuanto a la forma. Los franceses llaman "nouvelle" a la novela corta, está el cuento largo...*

—Una novela normal, cien cuartillas, cien folios. Una corta, como la última *Me quiero divorciar*, cuarenta y cinco. Tres horas. A quince folios por hora. Un complejo de pequeñez. Lo tenía de chica. También un complejo de grandeza mental que me compensaba. Quería borrar mi pequeñez con mi grandeza espiritual. O sea que fui un poco aberrante.

—*¿En tus novelas de amor jamás entra lo político?*

—Claro. Yo fui amiga de Franco, de Suárez después y soy amiga de todos. Miro al género humano por sus valías, no por sus ideologías. Actualizo todo, por lo tanto mi obra lleva una época. Yo, al fin y al cabo, viví siempre como quise y dije lo que quería decir. Fui una feminista adelantada y sigo siéndolo. Con unos límites normales. No me gustan los extremos. Debemos aceptarnos como somos y evolucionar según la vida nos indica, que eso es enriquecedor. Soy cristiana pero no una fanática. No voy a misa para después criticar al prójimo. Si tengo la conciencia limpia no tengo que ir a misa.

—*No hablas mucho de tu manera de trabajar. ¿La idea te viene estando en la cama o caminando o donde sea y luego la sigues en la máquina?*

—No. El otro día estuve en una asesoría jurídica hablando con cuatro abogados. Aquello no tenía que ver con mi trabajo, pero hubo tres frases que se cambiaron entre ellos, que eran un hombre y una mujer, y aquello me sirvió a mí para hacer una novela. No por lo que imaginé fueran aquel hombre y aquella mujer, sino por la vida que yo intuí a través de dichas frases. Me dí cuenta de que la chica, muy inteligente por cierto, estaba presa de un prejuicio, quería evadirse de él y no podía. A partir de eso solo, a mí me salió una novela. Con esto te quiero decir que yo no vivo mis novelas. Mi vida particular es muy normal. Vivo también inmersa en negocios y en cosas de tipo material. No tiene nada que ver con que luego me meta a las cinco de la mañana en el despacho y haga un libro. Eso no tiene nada que ver con el perro, ni la cocina, ni las chicas, ni la casa, ni ná.

—*Esto es, hay dos Corín.*

—Hay dos personas, sí. Cuando me siento a escribir en lo que menos pienso es en lo que me van a pagar, sino en trabajar entregándome. Haciendo lo mejor para un público que desconozco, muy complejo, que puede ser el diputado, o su esposa, o la cocinera del diputado. No sabemos si es la hija, si es él, si es la mujer. ¿Entendido? Me siento y no pienso que aquella novela pueda valer 200 ó 300 mil pesetas o 25. En cuanto a mi vida es una vida corriente y moliente. Soy madre y padre. Ahora mis hijos ya no me necesitan. Él estudia derecho. Ella, es periodista. Quizás, por el daño que me han hecho. Es que tengo mala prensa, no sé por qué. Aunque mucho no me importa. Tengo mis lectores.

—*Sin embargo, te quieren mucho figuras como Cabrera Infante, Vargas Llosa, Juan Cueto, han salido en tu rescate, te han revalorizado...*

—Sí, esos señores me quieren mucho, aunque no necesitaba que me revalorizara nadie. Mi obra estaba ahí, impertérrita, de treinta y seis años. Creo que por sí sola tiene un mérito. No aspiro a premios nóbeles, ni Nadal, ni Planeta. Yo escribo una literatura fácil de entender, amena, con una gran humanidad y nada más. No pretendo nada. Si quisiera pretender me metería en otro género, ¿no? Ellos son amigos míos y me valoran a partir de lo que escribo porque ellos son gente que andan por el mundo y ven lo que se vende en Hispanoamérica y aquí y escuchan que yo escribo para los humildes y ven también cómo la mujer de un ministro lleva mis novelas al club, entonces ellos, a lo mejor irritados por ver cómo algunos periodistas me ponen a parir, han salido en mi defensa...

—*Está bien. No coincido con ellos. Me interesa tu trabajo como fenómeno particular que es...*

—Sí, un fenómeno sociológico...

—*...pero la tuya no es una literatura que me agrade.*

—¡Pues vale!

—*Confieso como lo siento. Sé de tu éxito enorme, como sé del de Barbara Cutland en inglés. Por algo escriben ustedes así y prenden en audiencias millonarias. Leí anoche* Vengo a divorciarme. *¿Qué placer encuentras en estirar a quince páginas situaciones que pueden resolverse en una?*

—La novela que terminé ayer me resultó de un contenido muy rico en pocas páginas. En cambio la que leíste era un pedido. Tenía que hacerlo y lo hice. Ese trabajo a mí no me salió. Lo tendría que haber enriquecido con más contenido, lo sé. Aunque, bueno, para los lectores de la revista "Diez Minutos" está muy bien. Aquí no vi otra salida. Pude poner siete personajes y los siete vivir una vida distinta, pero no sé... en esta novela sé que me perdí. En cambio ayer escribí otra. Todas las semanas hago novelas y son muy distintas. Claro, cuando me piden una novela en cuarenta cuartillas, me ahogo. Y en ésta, en vez de ahogarme, la dilaté.

—*Sí, sentí que estaba muy dilatado.*

—Claro, pues lo primero que debía tener era un personaje de madre distinto. Era a ese personaje al que debía enriquecer y en cambio lo debilité.

—*También me sorprendieron ciertos giros. En varias ocasiones te refieres a la madre como "la autora de mis días". ¿Eso se usa en España hoy? ¿Lo usas habitualmente?*

—No, no suelo usarlo. Si lo escribí es porque me salió así. Pero no lo uso.

—*¿Te sale así o es que crees que la gente habla así?*

—No, no, es porque me sale a mí.

—*¿Te preocupa escribir como habla la gente?*

—No. A lo mejor escribí "madre" antes y después no quise repetir.

—*Cuentan que Bernard Shaw desde los quince años se impuso llenar cada día cinco folios, aún no teniendo nada que decir. Después le fue fácil hacerlo toda su vida. ¿Tú como haces?*

—Cuando la novela está iniciada es muy fácil continuar. Ahora cuando a las cinco de la mañana me siento a la máquina y tomo una cuartilla en blanco, ya llevo un esquema puesto. Que fulano se llama de esta manera y zutano de la otra, que hay una situación conflictiva tal o cual. Luego, todo depende de cómo lo empiezas. Cuando me pierdo y no tomo en mis garras al personaje lo que hago es enriquecer la novela con otras cosas. A mí la novela que seguro me sale bien es en la que empiezo en la actualidad haciendo depender todo del pasado. Cuando se va viendo el por qué se llegó a esta o aquella situación.

—*¿Nunca te importó conseguir un lenguaje propio, más personal, más Tellado que Corín?*

—Mi estilo es mi estilo y con él gané la batalla del mundo literario o pseudoliterario, no me importa la calificación que le pongan. Si me gané la vida con un estilo no me voy a empeñar en mejorarlo. Esto por una parte. Por otra, a mí no me interesa escribir novelas que posiblemente no me dieran ni dinero ni nombre. Estamos hartos de ver por ahí enanos escribiendo y considerándose muy superiores y no ven ni un duro. A mí no me interesa ni darle ni más calidad ni menos, sino usar un lenguaje humano, de la calle. El que oímos todos, el que estamos usando tú y yo ahora. No tengo por qué purificar nada. Cambio los verbos cuando me queda mejor, y es que hablamos también así, cambiando los verbos. ¿No hablamos así? Tengo tres novelas grandes, mis Memorias, y no cambio el lenguaje. El cambio es que en vez de haber tanto amor, hay más humanidad y desnudo a los personajes. Hay pasión pero también las penas de cada día. Pero al lenguaje no lo pulí, es el mismo. Entiéndelo, si yo lanzo eso, no es lo que se espera de Corín. Las lectoras de Corín esperan pasiones, conflictos, besos.

—*Sin embargo inicias la novela con una cita de Eurípides.*

—Había dos mujeres ahí, una buena y la otra mala, y dije yo ¡pues voy a poner a Eurípides! Me decía mi hijo ayer: "¿Y por qué pones a Eurípides?". Y dije yo: "Pues pongo", porque no encontré en mi mente otra persona que pudiera decirme más de lo que yo voy a decir aquí. Leo de todo. Y por qué tengo que tener un lenguaje, ¿por leer a Eurípides? En tiempos en que no lo conocían en España, a mí un mejicano me traducía a Marcuse. En 1968 aquí lo desconocían. Este amigo era un apasionado de la filosofía y me lo leía. Me enriquecía. Éramos estudiantes de psicología. También me cantaba una canción mejicana "Tentados por el demonio"... Era en Cádiz, donde viví un montón de años y me inicié. Teníamos unas inquietudes, hablábamos de metafísica, de cosas que hoy...

—*¿Y ahora no eres metafísica?*

—¡Bah!, yo ahora no me preocupo de eso sino de la humanidad. Sé que he nacido para morir. Me parece de una enanez mental tremenda que la gente diga "porque cuando me muera...". Oye, cuando te mueras, te has "morido". ¡Y anda! ¡Punto! Yo he venido a este mundo, pues, para qué, no sé. No voy a cometer la pedantería de decir, pues me ha ido mal sentimentalmente y que me refugio en la literatura. Pues eso es mentira, pues si no me pagan por ella, a lo mejor yo escribía ahí y amontonaba, a lo mejor escribía de otra manera. Me lancé por una literatura fácil, relatando cosas que estaban ocurriendo en aquel momento, como estoy relatando cosas que ocurren hoy. Yo me metí en este terreno y he ganado un puesto y ya está, nada más, ni más ni menos. Todo lo que dicen los demás me parece de risa. Que me quieran hundir o que me quieran elevar, ¡pues a mi qué! Yo vendo. Además, ¿si no existiera Corín Tellado quién entretendría a la gente? ¿En el tren, en el viaje, en la cubierta de un barco o en una reunión familiar? Pues Corín está ahí, entretiene. Dice unas cosas que aunque tengan un fondo muy real, las disfrazo, le agrego mi fantasía.

—*Escribiste tu primera novela de amor a los diecisiete años. ¿Ya habías besado a un chico?*

—Pensaba que los hijos nacían por el ombligo. A esa edad inicié psicología en una academia. La profesora me mandaba copiar vulgaridades y en cuanto giraba ella yo escribía lo que quería. También estudiaba francés, yo era una chica con unas inquietudes tremendas. Escribía porque quería. Me estaba dando coraje ante aquella vieja carroza, que me ordenaba hacer lo que ella quería. Y yo quería hacer lo que quería yo.

—*Mujer importante: fue la que te llevó a la vida literaria...*

—No, una vieja antipática, solterona y sin sensibilidad alguna. Ahora ocurrió que yo iba mucho a una librería de una amigos gaditanos y me dejaban los libros. No tenía dinero para pagarlos. Vivía bien, pero claro, no me iban a dar dinero para libros. Me los dejaban ellos, era un matrimonio muy salao, y un día me dieron una novela, no sé como se llamaba, y no la quise, y dijo: "¿Por qué no la quieres?". Pues, porque no, eso lo escribo yo y dijo: "¿Cómo que lo escribes tú?" "Tengo una." "¿Por qué no me la traes?" Y yo se la llevé. Pasaron unos días, y fui de nuevo a buscar otro libro creo que de Somerset Maugham. También leía a Oscar Wilde y una novela que no me acuerdo de quién era, que se llamaba *Te Amo*, ¡fortísima! y yo me quedaba asombrada y la tenía que esconder para que mi madre no la viera. Y entonces, un día fui y el

librero me dijo: "Oye, yo voy a mandar la novela a un editor."
Cómo vas a mandarla, ¿estás loco?, le respondí. Y fíjate que la
mandó. Y acá estoy.

—*Andrés Amorós, en su* Sociología de la Novela Rosa, *que
al fin y al cabo es la sociología de Corín Tellado, dice, que
adonde íbamos a llegar si encima tuvieras calidad literaria...*

—No es así tampoco. Cuando leí eso dije: "¡Coño!"

—*¿Y cuáles son los ingredientes básicos de cualquiera de
tus cinco mil novelas?*

—La pareja. Ya sea soltera, casada, separada. La pareja. Primer ingrediente, y el segundo personaje, que es un elemento fundamental, el encadenado...

—*El antagonista.*

—No, el segundo personaje, sea o no sea antagonista, que
puede venir encadenado por una necesidad espiritual o material,
que necesite la protagonista. Suele ser siempre enriquecedor. Para
mí, es más rico, casi siempre, que el central.

—*La pareja y el segundo personaje.*

—O el tercero o cuarto. Luego ¡amor!

—*Bueno, la pareja ya incluye amor.*

—El segundo o tercer personaje puede ser secundario, como
la muchacha, o la abuela, o la tía. Es el tipo enriquecido con sus
experiencias que se las transmite a la protagonista.

—*En la novela que leí anoche, sobre el final, dices: "Y es
que como se dice, y casi siempre se dice bien: no te metas en
la vida ajena que con la tuya tienes más que suficiente". Eso
está en la sabiduría popular. ¿Es eso lo que transmites?*

—Sí, es un lugar común y todos los lugares comunes están en
la calle. Bueno, el cuarto personaje siempre es el sistema social.
La política que impera en ese momento. Uso mucho el pasado.
Por ejemplo, pongo a la madre reprimida que intenta reprimir a la
hija. La hija actual que no puede aceptar que la madre apagara la
luz para hacer el amor con su marido, o que él nunca la viese

desnuda. A la hija le parece inconcebible. Yo que lo he vivido comprendo que sea inconcebible para la hija, pero la madre continúa la marca, o no sé, unos conceptos, unas vivencias, o si quieres unas convicciones que vivió, que heredó de sus padres. Y el problema para mí no es el ayer ni el hoy, sino que va a ser mañana, cuando la hija de la niña de hoy tenga sus problemas generacionales con la madre. Y los tendrá muchísimo más la nieta y seguirá así la cadena. Es la vida.

—*¿Y cuáles son tus trampas al escribir?*

—Hay muchas, pero no creas que... Yo soy honrada. Yo soy muy honrada.

—*¿Quieres que te diga una trampa?*

—A ver. El decir y no decir...

—*Que retrasas los actos que los lectores desean que ocurran ya. Esos muchachos están como tratando de besarse, finalmente él consigue besarla y ella lo rechaza, pero nunca se llega a la consumación, por lo menos en esta novela.*

—¿De qué novela estás hablando? ¿De la corta ésa? ¡Ah! Pero duermen juntos antes, ¿no? Lo lógico es que durmiesen ya desde un principio, pero yo no quise hacerlo pues era una novela familiar. En fin, no acabáis de entender estas cosas. Mira, es una novela familiar para una revista familiar, que la compra el padre, o la trae la madre del mercado y la deja encima de una mesa. Y para mí es casi como si mi conciencia se resintiera ante ello pues la va a leer una niña de quince años y oye, tengo un poco de respeto, sea democracia, sea libertad, sea lo que sea. Yo no entiendo el libertinaje, la gente lo confunde y yo no estoy de acuerdo. Entonces...

—*Alguna erótica habrá en tu novelística...*

—¡Hombre! ¡Anda! Pero es que lo soy yo también. A lo mejor. No sé.

—*¿Cómo que no lo vas a saber?*

—No, no, yo soy una persona que paso de todo.

—*¿Qué es pasar?*

—Sí, claro, no se pasa nunca en nada. Eso es una frase también hecha.

—*Algún erotismo está funcionando siempre en tu novelística. Y por alguna razón en la época franquista se te censuraba.*

—Ni te imaginas. Me echaban atrás todo.

—*¿Cuando hablabas de divorcio o cosas así?*

—Hubo una novela que pasó sin pena ni gloria por el mercado internacional. Porque yo no soy autora nacional, soy internacional. Busqué y no encontré más que rayas rojas en una parte de esa novela, que era donde el terrateniente por considerarlo de humanidad entregaba a su gente, a sus colonos, parte de sus tierra. Fue censurada por eso. ¡Yo lo encontré demencial!

—*¿Cuáles son los autores contemporáneos que más te gustan?*

—Bueno, lógicamente Camilo José Cela. Me apasiona Miguel Delibes, me gustan mucho García Márquez, Vargas Llosa. Cabrera Infante me parece que tiene un juego de palabras muy hábil.

—*Él dijo una vez que tú eras "la pornógrafa inocente". ¿Cómo sentiste tú esa calificación?*

—Nada. Me pregunto si sabrá él lo que quiere decir eso. Lo que yo sé es que siempre habrá historias de amor... Algunas muy bien escritas y trágicas. Aunque creo que nadie se muere de amor....

—*Parece que antes alguna gente se moría por amor...*

—Bueno, si era un ser débil. Yo no entiendo a los seres débiles.

—*En el batifondo que arman Romeo y Julieta no hay debilidad sino fatalidad, creyendo que está muerta, porque sólo está dormida, va y se toma el veneno él y después se mata ella.*

—Cuánto lo siento, pero yo no me mato por nadie. Ni quiero que alguien sea tan tonto que se mate por otro. El olvido es lo más esencial y lo más real de este mundo.

—*¿El olvido?*

—Sí, es el más enriquecedor de todos. El olvido. Porque lleva la cadena de un nuevo resurgimiento que es el que tienes que vivir. No puedes vivir en pasado.

—*Y si no hay nada que te pueda suplantar un amor que tuviste, ¿cómo haces? No se trata de un repuesto de automóvil.*

—Siempre decimos: "Ay, que el corazón, por qué me destrozas el corazón". No hay tal corazón, el corazón hace sus funciones, todo depende del cerebro. Por lo tanto si dominamos el cerebro, lo lógico es que ese cerebro, ante todo y sobre todo, razone. El corazón es la máquina de la vida. Pero funciona a través del cerebro. Digo que cerebralmente hay que mentalizarse y pensar que la vida no se detiene porque una persona, por muy querida que sea, se te muera. Lo demuestra la experiencia. Eso de que Doña Inés y cómo se llama el otro, Don Juan, o Tristán e Isolda, o Romeo y Julieta, no lo acepto. Creo que son seres de ficción y no sé por qué me censuran a mí que yo haga seres de ficción cuando tenemos ahí los grandes literatos clásicos...

—*¿Y por qué crees que los literatos hacen seres de ficción?*

—A mí me decía un editor: "Parece imposible que usted sea tan realista". Soy realista lógica. "Pero usted vive de la ficción." Sí señor, en la máquina, pero yo tengo que ser realista porque soy una persona realista. Yo no mato a la gente por amor. ¡Hay que superaaarlo!

—*¿Nunca se murió nadie de amor en tus cinco mil novelas?*

—¡Estás loco! ¡Estás loco!

—*¿Se salvaron todos?*

—Todos superaron ese bache, ese vacío, engrandeciéndose espiritualmente. Buscando la parte que tiene que fecundar en otra persona. No acepto que la vida se componga sólo de un amor y de vivir por él. Hay que vivir de muchas cosas. Si yo tuviera que vivir sólo de amor, pues estaba lista.

—*Pero, del fárrago de cosas que hace el ser humano, ¿qué puede sacarlo del barro y darle la alegría de un dios? ¿Lo económico? ¿Lo político? ¿O el poder del amor?*

—El poder humano, nada más. El ser verdadero, el no ser un enano, ni un títere, ni el señor que se monta sobre un título y que aquel título le dé dinero.

—*¿Qué es el hombre para una novelista que escribe para las mujeres?*

—El ser más inocente de este mundo y más imbécil y más muñequito. La mujer es la fuerte, el sexo fuerte es la mujer. La mujer no se encandila. A la mujer no la lleva el hombre más que por donde quiere ir ella. El hombre va por donde quiere la mujer.

—*¿Y por qué no hubo otro hombre después de tu separación?*

—A los treinta y dos años me quedé con la experiencia, la riqueza espiritual y el dinero que tenía. Con mi indudable personalidad humana que nadie me la va a cambiar. Hoy no podría soportar la vida como lo hice en aquel tiempo. Pero vamos, tenía un nombre, dinero y dos niños y vivía en provincias. Tenía que levantar un castillo que había derrumbado yo misma. Por ese realismo mío, no quería vivir una falsedad. Pues no vivo para los demás sino para ser feliz yo, en una vida apacible y normal, más o menos apasionante. Así que me dije quiero que esta niña llegue a donde quiera llegar, por tanto, quien debe sacrificarse es quien la trajo al mundo. En ese entonces vivía en una sociedad limitada, reprimida, que no me entendía. Tenía que vivir a tono con los prejuicios ajenos aunque careciera de ellos. No es que fuera falsa sino que vivía entregada a dos niños inocentes. Si fuera hoy, tendría un nuevo matrimonio. A mí cuando me dijeron "Oye, vamos a divorciarnos", respondí a mí no me divorcies. A mí el divorcio me tiene sin cuidado. Tampoco creo que la gente deba armar tanto lío con el aborto. Lo lógico es que el aborto vaya según la conciencia de cada cual. Y el matrimonio también. Te divorcias si quieres y si no te divorcias pues te casas de nuevo y si no te quieres casar, te lo dejas.

Jorge Luis Borges

EL ÚNICO NIÑO QUE FUE OCTOGENARIO

Hay un personaje de Borges en el que Borges nunca reparó y hay por lo menos siete fechas en las que el personaje, a los tumbos, lo buscó desesperadamente.

En 1956, cuando Borges no era Homero todavía sino un buda encastillado en la Biblioteca Nacional con un mujerío a sus pies que le recitaba poemas en inglés frente al río menos inglés del mundo.

En 1958, cuando Borges accedió a conferenciar a la vera de unos tristes frigoríficos de Berisso y el personaje lo presentó como "Borges, el palabrista".

En 1963, cuando Borges regresando de un viaje a Texas alcanzó a delinear en exclusiva a un insomne cronista que lo aguardaba en Ezeiza la historia de un cowboy negro que desechó la gracia de hablar antes de ser ahorcado, porque lo que quería precisamente era morir, no hablar.

En 1970, cuando su personaje lo descubrió desde un colectivo en la intemperie de México y Bolívar y de la furtiva imagen sólo quedó una boina vasca, raída, azul, una cara de cera y nube, y esos ojos que se perdían en la fábula bibliotecológica del sur.

En 1977, cuando paseando de su brazo, subrepticiamente, el personaje alcanzó a saber que Borges rezaba de noche.

En 1978, cuando el personaje lo alzó en sus brazos como si fuera un niño y en vilo lo llevó hasta la explanada de Machu Pichu a la que Borges volvía por tercera vez, ahora ciego, a olfatear las piedras que según él iban cambiando con el tiempo. En esta sexta fecha, el personaje cometió el error de confesar que era periodista, lo cual dio a Borges la ocasión de crear el más insólito epitafio al oficio: "Menos pregunta Dios y perdona". Y el fracaso otra vez.

Hasta este abril de 1980, en que Borges, creyéndose solo en la trastienda de una sastrería teatral madrileña, tras probar el jacquet para la ceremonia de recepción del Premio Cervantes de manos de un rey, apoyado en su báculo negro de dieciséis dólares, no advierte que cerca suyo, silencioso, el personaje se deleita en escucharlo cantar, en voz alta, la milonga "Los Orientales". Tan beatífico permanecía en ese rincón Jorge Luis Borges, cantando para sí, que apenas se encrespó cuando el personaje se le acercó, lo acompañó, caminó con él hasta el hotel y le dijo:

—¿*Hablamos, Borges?*

—Sería bueno hacerlo en un pacto de mutuo olvido. Detesto la publicidad.

—*Pero no la memoria. El periodismo trabaja para ella...*

—No es cierto. En ochenta años yo no he leído ningún diario y tengo buena memoria. Pero veamos, perdone, ¿me acompañaría al baño?

Sin sorprenderme (ningún cronista literario lo es si no ha llevado al menos una vez a orinar a Borges) lo tomo del brazo, lo enfilo hacia el toilette y ya enfrentado a la gatera de mármol, le sostengo el bastón, doy un paso atrás, quedo en asistencia, mientras él, lento, desabotona la bragueta de su pantalón de paño inglés.

Estamos solos. La situación discurre entre compasiva y rara. El enorme gurú , inválido por la ceguera y el tiempo, y uno evaluando lo ridículo y al mismo tiempo inolvidable del instante. (Aunque lo más ridículo está por suceder...)

—Dígame... —dice, comenzando a orinar serenamente, mientras, a sus espaldas, lo escucho—. ¿No estuvimos hablando ayer de John Thomas?

Su pregunta me toma en blanco, sin datos, y por no quedar en falta ante él, en típica reacción que los argentinos llamamos tilinga trato de salir del apuro con un

—*¿Cómo dice? No sé, creo haber escuchado algo sobre este autor, pero...*
—Ah, ¿no sabe usted quién es John Thomas? Pues es el nombre coloquial de la pija en inglés. Y Lady Jane, es la concha... John Thomas and Lady Jane... John solo, no tendría gracias. Pero John Thomas, sí... Por eso nadie se llama John Thomas en Inglaterra. Qué curioso, ¿no? Es el nombre que quería ponerle Lawrence al amante de Lady Chatterley...

Quedo de una pieza, avergonzado de mi imbecilidad, y tras la carcajada con que celebro al mismo tiempo su salida y mi paso en falso, retomamos la conversación. Borges ríe malicioso al relatar que la noche anterior una mujer lo acosó en el lobby para fotografiarse en su compañía.

—Como repetía en voz alta que sería una foto para la posteridad le respondí que no era justo hacerle algo así al futuro, ¿no?

Le adelanto pormenores del libro que acabo de terminar, en donde recojo su oralidad y al que titulé "Borges, el palabrista". También sugiero la posibilidad de un prólogo.

—Sé vagamente de qué trata su libro. Usted dice que es mío y no suyo. Pero ¿cómo puede ser mío lo que yo he dicho ya? No vaya a creer que no me divierte tener una espacio de tradición oral Borges, como los pueblos primitivos, apócrifa, desde luego.
—*Si no se hubiesen registrado las palabras de Homero, la Ilíada y la Odisea no existirían.*
—Puede ser, puede ser... Pero, ¿sabe? Yo no hablo en hexámetros. Y tampoco creo que este caso requiera un prólogo. Sería

75

algo impúdico. Además, los prólogos no son necesarios. Tal vez el único prólogo necesario fue el Génesis. Bien. ¿Y sobre qué hablaremos hoy?

—*De sus pecados capitales. No recuerdo que se haya referido a ellos...*

—Stevenson decía que los siete pecados capitales eran uno solo: la crueldad. El pecado contra el Espíritu Santo. Los demás no tienen importancia.

—*Sin embargo, la crueldad no está entre esos siete. Es extraño. Pero olvidemos a Stevenson y vayamos a usted y a los pecados clásicos. ¿Cuál ha sido la pereza de Borges?*

—Sí, he pecado porque soy muy haragán. Yo creo que he trabajado tanto porque soy muy haragán.

—*¿Y el de la envidia?*

—No. Yo nunca he sentido envidia. Por ejemplo, he estado enamorado y he sabido que otra persona estaba enamorada de la misma mujer que yo. Y yo pensaba, en fin, esto nos une. Los dos nos damos cuenta de que esta mujer es admirable y él debe sentir amistad por mí y yo sentir amistad por él. La idea de la rivalidad, de los celos, de la envidia, es horrible. Pero fíjese que cuando he confesado esto a algún amigo o amiga me han dicho que no, que es un bizantinismo, que es una paradoja, que eso no puede ser.

—*A mí me parece una belleza.*

—¿Cómo dice? Usted es la primera persona que no se escandaliza. Me alegra, sabe. Porque si yo quiero a una mujer y otro hombre la quiere también, quiere decir que nos parecemos de algún modo, ¿no? Nos encontramos en lo mismo. Es como si alguien dice que le gusta el álgebra, pues a mí también, o la literatura, y a mí también, fulana de tal, a mí también. Eso une. ¿Dónde le verán el bizantinismo?, digo yo.

—*¿Cuál ha sido su pecado de gula?*

—Sí, la gula sería, a ver, los copos de maíz, el café y el dulce de leche. También el de guayaba. A mí en general me gusta la comida seca. La comida mojada no me gusta. Cuando salgo a comer, pido arroz con manteca y queso, dulce de batata y café. Comida más frugal no se puede pedir.

—*¿El vino sería una comida mojada?*

—No, yo no he bebido mucho vino. Cuando joven me gustaba el ajenjo. Tampoco me gustan las salsas. En cambio sí los copos de maíz, el arroz, las uvas. Las uvas son como una purificación, eh. Cuando fui al Japón encontré uvas que son como dobles de las nuestras, con gusto a vino, riquísimas. Y las mandarinas son un prodigio. No tienen semillas y uno puede comerse la cáscara. Las bananas también son riquísimas en el Japón. Mejor dicho los plátanos, porque banana es una palabra tosca. Pero lo de las uvas es algo que han conseguido en estos últimos quince años. Son de gran tamaño y con ligero sabor a vino. Aunque yo no conozco bien el vino. Me gustaba, como le digo, el ajenjo, que produce una alegría liviana... Cuando era chico lo bebían los compadritos en los almacenes. Recuerdo que tomaba hasta tres copas de ajenjo cuando estaba en Palma de Mallorca y después salíamos a escalar la montaña. Había muros ciclópeos y, sin embargo, gracias al ajenjo, yo me agarraba bien de las grietas y ascendía bastante bien. Quiere decir que la embriaguez que nos producía era muy liviana, si no nos hubiéramos matado antes de llegar a la cumbre. Era en Valldemosa. Subíamos con un pintor cordobés, Octavio Pinto.

—*¿Sabe usted que muy cerca de allí, en Deyá, vivió la mitad de su vida Robert Graves?*

—No me diga. Un gran poeta. Compré sus *Obras Completas*. Buscaba un poema que él eliminó de sus obras. Ese poema es lindísimo, merece ser muy antiguo, merece no ser contemporáneo, merece ser algo que los hombres han soñado durante mucho tiempo. El argumento es éste: Alejandro de Macedonia no muere en Babilonia sino que se extravía de su ejército y va errando por una geografía desconocida, ve una claridad, es un campamento, hay hombres de piel amarilla y de ojos oblicuos, tártaros, chinos, entonces ya que su oficio es ser soldado, él entra y se alista en ese ejército. Pasan muchos años, hace la guerra, no le importa ser jefe, siempre es soldado, y un buen día como pago del trabajo de guerrear distribuyen monedas. Es un hombre viejo ya y se queda mirando una de las monedas. Está allí, viejo, rodeado de tártaros o chinos y entonces dice: "Claro, es la moneda que yo hice acuñar para celebrar la victoria de Arbela cuando yo era Alejandro de Macedonia". Su victoria contra los persas. Pero él dice: "cuando yo era". Claro, él ya es otro. Un soldado perdido allí entre los chinos o los tártaros. Este poema merecería estar en *Las mil y una noches* o en Plutarco. Y sin embargo, qué raro, Graves lo eliminó. Es extraordinario. Haber inventado ese poema es haber inventado todo.

—*¿Volvemos a los pecados? ¿Cuál ha sido su soberbia?*

—No creo, no. Cuando yo converso con alguien siempre trato, hago lo posible, por que el interlocutor tenga razón. Además la idea de una discusión es errónea. Debiera ser una colaboración, una investigación para llegar a un fin y no importa si el fin queda de este lado o del otro. Los chinos dicen que no hay que discutir para ganar, sino para dar con la verdad. La idea de ganar es horrible. Por eso aquí en Madrid, en las tertulias del café Colonial, Cansinos Assens impuso la costumbre de que no se hablara de ningún contemporáneo para que no se hablara mal de nadie. De modo que uno podía mencionar a Virgilio o a Platón pero no a Gómez de la Serna o a Unamuno. Eso también lo tenía Macedonio, que en sus reuniones le decía al que tenía al lado "vos habrás observado, sin duda, che..." y luego venía algo suyo extraordinario. Qué lindo, qué grandeza ser así. Macedonio es de las personas que más me impresionaron en mi vida. Y otros muy famosos, nada. Lugones no me impresionó. Ortega y Gasset tampoco. Ingenieros, sí, era muy simpático. Pero otros, por ejemplo Camus, no me impresionó nada. Bueno, Marinetti no tenía por qué impresionar a nadie, ¿no? ¿Usted sabe cómo le dicen en Italia a Marinetti?

—*No, ¿cómo?*

—Un cretino fosforescente.

—*¿Fue avaro alguna vez?*

—No prestar libros para que no se quedaran con ellos.

—*¿Y pecado de lujuria?*

—Yo creo que sí, eh... bueno, no sé si es un pecado. Creo como Stevenson que no es un pecado. Haber deseado bastante, querido mucho a la mujer, no es pecado, ¿no?

—*¿Y la ira?*

—No. Xul Solar decía que era una pobreza mía el no enojarme. Hace mejor desahogarse. No, ira, no... O tal vez sí, tres veces, cuando eché a los estudiantes de la clase por querer interrumpirlas. Pero yo pensaba que eso no era personal, que tenía que defender la cátedra.

—*Y una de esas veces defendió precisamente a Coleridge, cuando la huelga en el puerto.*

—Es cierto. Les dije: "El señor Coleridge está esperando y no lo podemos hacer esperar".

—*Y dígame, Borges, ¿habrá habido en su vida un octavo pecado, específicamente suyo, inventado por usted para usted?*

—Y bueno, yo he sentido odio por dos personas. Por Perón y por mi lejano pariente Rosas. Y por nadie más, que yo sepa. Porque lo demás ocurría muy lejos. En el caso de Hitler no era odio. Decía yo, qué raro que este hombre que es un genio militar sea al mismo tiempo un loco.

—*¿Respondió usted alguna vez el cuestionario "a la Proust"?*

—Lo conozco, pero no creo que él haya hecho eso. Produce trivialidades. Creo que debe haber sido la cocinera de Proust. Es una especie de juego. Un juego de sociedad.

—*Vamos al juego. ¿Cuál es su color?*

—El amarillo.

—¿*El animal?*
—Podría ser el leopardo.
—¿*La flor?*
—El jazmín.
—¿*El pájaro?*
—Mis conocimientos ornitológicos son tan breves que no sé si distingo muy bien entre un pájaro y otro.
—*Pero sí entre el colibrí y el cuervo...*
—No, son pájaros muy literarios. Pájaros más naturales. ¿Qué pájaros naturales hay?
—*Y desde la paloma hasta el gorrión. Nuestro gorrión.*
—¿El gorrión? Fue importado por Bieckert. No los había en la Argentina. Yo diría la gaviota, sugiere el mar.
—¿*Cuál es el personaje histórico que usted admira más?*
—Voy a ser muy localista, vamos a poner Sarmiento.
—¿*Y el personaje mujer?*
—Carlota Corday.
—¿*El varón de la ficción que más le haya impresionado?*
—Lord Jim, de Conrad.
—¿*Y el personaje femenino?*
—Yo casi me olvido de que haya mujeres. Lo dejamos en blanco.
—*Bien, ¿y cuál es su pintor preferido?*
—Podrían ser dos: Rembrandt y Turner.
—¿*Y su músico?*
—El único músico al cual yo me he acercado con toda la humildad y la ignorancia: Brahms.
—¿*Su dramaturgo?*
—Uno tiene que decir... Shakespeare. No, yo voy a decir Bernard Shaw.
—¿*La película que más recuerda?*
—"Ser o no ser" de Ernst Lubitsch. Creo que nadie la conoce, ¿no?
—*Sí, la mencionan en las historias del cine, la conside-*

ran. ¿Y su libro de siempre? El de la mesa de luz...
—*El mundo como voluntad y representación* de Schopen-
hauer. Sigamos jugando con Proust.
—*He cometido una herejía. Le incluí una película...*
—Dentro de la trivialidad general, está bien.
—*¿Y cuál es su filia más acendrada, más definida?*
—Ponga todo lo escandinavo.
—*¿Y su fobia?*
—La publicidad.

Borges está espléndido, más delgado y haciendo bromas con-
tinuas. Presenta a su bastón.

—Lo compré hace poco en Chinatown y me costó dieciséis
dólares. Es bueno para aferrarse a él. Es casi como un guante. Es
muy fotogénico. Ha salido conmigo en todas las fotografías en
que aparezco estos días. Es un buen báculo. Ahora necesitaría
uno blanco.

Al concluir el almuerzo el camarero le pregunta con inocencia
sobre la paella que le ha servido.

—Estuvo bien porque cada arroz ha mantenido su individualidad.
—*Borges, ¿usted recuerda cuál fue su primer juguete?*
—Un palo de escoba. Luego me regalaron uno con una cabe-
za de caballo y luego un caballo de madera. Pero para mí, el úni-
co, el verdadero caballo, era el palo de escoba. A los otros los
veía como apócrifos.
—*Para su edad eran caballos casi míticos...*
—Sí, ya sé, pero para mí el caballo era el palo de escoba.
—*¿Usted rezó alguna vez?*
—Sí, yo rezo todas las noches porque mi madre me pidió que
rezara. Ahora yo no sé si no estoy hablado en un teléfono al vacío,

¿no? Además, que si no hay Dios, yo no me comprometo con eso.

—*¿A qué edad conoció usted a la primera mujer?*

—¿En qué sentido?

—*En el descubrimiento del amor...*

—Desde siempre, yo estoy enamorado de siempre. Creo que como todos los hombres. Aunque el amor puede ser imágenes del cine, del deporte...

—*Antes nos enamorábamos más de las mujeres del cine.*

—Sí, es cierto. Yo he sido fiel a Mary Pickford y a Katherine Hepburn.

—*¿Qué es lo peor que ha hecho usted en su vida? Si a veces hizo algo peor...*

—He sido egoísta, he sido insensible al afecto de otros.

—*Cuando usted sonríe, ¿qué quiere decir? ¿Es constante la sonrisa en usted cuando responde? ¿Qué significa?*

—Creo que debe ser nervioso, ¿no? Soy muy tímido y esta situación para un tímido es un poco incómoda.

—*¿Es posible que esa timidez de la cual usted habla nos haya puesto una pared entre el Borges real y el que nosotros vemos?*

—Sí, podría ser. Pero al mismo tiempo eso me ha servido para toda mi obra literaria. El hecho de no comunicarme directamente sino por medio de símbolos. De haber sido una persona más explícita, no hubiera sido escritor.

—*¿Cómo es la vejez, Jorge Luis? ¿A qué se parece la vejez?*

—Desde luego es menos agradable que la juventud. Pero eso no es un gran elogio tampoco, ¿no? Además uno la sobrelleva mejor. De joven tampoco tiene experiencia de ser joven, no sabe hacerlo. En la vejez uno va adiestrándose.

—*¿Por qué cosas merecería Borges ir al infierno?*

—Por haber capitaneado el movimiento ultraísta.

—*¿Y si el infierno fuera una biblioteca?*

—Entonces no sería un infierno. Claro, depende de los autores. Creo que si en el infierno están excluidos los malos autores, incluso yo, entonces ya no selecciono. Ahora, si llego a encontrarme con libros míos allí, mejor...

—*¿Qué libro suyo tendría que estar en el infierno?*

—El que publicaré el año próximo.

—*¿Cuál ha sido el momento más grave de su vida?*

—He sido desdichado tantas veces que se precisaría una especie de concurso.

—*Borges... ¿soñó usted anoche?*

—Sí, soñé con Alfonso Reyes. Tenía un tamaño desmesurado y yo ante él era más bien petiso. Se me apareció con una cara como de tártaro y no le pude entender ni una sola palabra. Esto me daba mucha vergüenza. Estuvo a punto de ser una pesadilla pero me desperté. Sentí el sabor de la pesadilla. Un sabor único. La pesadilla tiene una sabor peculiar. Podría ser una prueba de que existe el infierno.

—*¿Dónde le gustaría celebrar sus noventa años?*

—En la Recoleta. En la bóveda de mis mayores. Terrible eso de los noventa años, ¿no? Era una broma. Todavía quiero conocer la China. Creo merecer la China. También me gustaría ir a la India y a Pakistán. Tal vez el año próximo. Ya después, a los noventa y dos, puedo morirme.

—*¿Qué calle desearía usted que llevase su nombre?*

—Es un error dar nombres de personas a las calles.

—*Sirven para recordar a la persona que nombran.*

—Al revés, hacen olvidar a la persona pues ésta es reemplazada por una calle. Pero bueno, si usted puede influir sobre el intendente, preferiría una calle cualquiera del sur. Parque Patricios, no. Está lejos. Y a la Boca no la conozco. Montserrat o San Telmo.

—*¿Hacia dónde cree usted que va el hombre? ¿Hacia Abel o hacia Caín?*

—En estos días ya ha llegado a Caín... No necesita ir.

—*Borges, ¿usted es inmortal?*

—No diga eso. No hay hombres inmortales. Sólo los animales lo son.

—*¿Por qué?*

—Porque no saben que han de morir.

—*Y a usted, ¿cómo le gustaría morir?*

—Inmediatamente.

MIGUEL REP

LA UTOPÍA DE UN NIÑO EMPERRADO

Entre los pájaros argentinos hay uno capaz de volar sobre un papel y dibujar con su pico la vida del país. Es de la especie *imaginero* y se llama Miguel Rep. Un trágico que hace reír sufriendo mientras picotea la medialuna del desayuno y la conciencia del día. Su edad: una infancia conservada en pasmosa actualidad. Su universo: una familia en respirador artificial, un bestiario posmo, bombitas molotov, postales micro, anchoas atacadas de erotismo, hologramas en perpetuo interrupto, un niño veterano, un revólver que dispara preguntas, y la especial, humanísima participación de la luna, de la que él parece tener la concesión. Profesión: cartógrafo. Vocación: tábano. Prontuario: provocador serial, oblicuo, desmesurado y tan distante de la comprensión del mundo como puede estarlo un bebé. Objetivo: la devolución del paraíso terrenal. Rep ojo de mosca. O de Polifemo, según le venga en ganas. Haciendo su revolución a lo jíbaro, con la mitad de su alegría y la mitad de su inocencia. Rep, firma de autor. Rep, el revolú.

—*Rep, ¿una sigla?*
—No, un apócope. Mi apellido es Repiso, andaluz. De ahí vino el abuelo. Repiso, por la uva repisada. Viene de un vino berreta, barato, porque se repisa. El de mamá es árabe. Tanure, del Líbano.
—*Y luego viene el gato Félix y esta mesa tan larga...*
—Mi mesa de trabajo más querida es la primera, la de Boedo, en donde llegamos a ser seis en una especie de inquilinato. Cuatro hermanos, yo el mayor, mis viejos correntinos y nosotros de Buenos Aires, de la capital, tres, yo nací en San Isidro. Esa mejor

mesa de dibujo era la máquina de coser de mi vieja, que le bajabas la máquina y después la tapa. Mesa a mi escala de chico en la que despunté un estilo inicial. Antes de eso era una especie de collage adolescente, de tropezones, de no ser yo mismo. No recuerdo si era rebelde de chico. Mi vieja dice que sí. Creo que era un tímido, una especie de tipo bucólico, que me leía mal a mí mismo, tanto que el primer libro que leí fue *Hamlet*, al que imaginé tímido y recién más tarde lo descubrí como un tipo de acción. Un tímido que en realidad es un zafado, un atorrante que tenía problemas por su rebeldía. Mi rebeldía era dulce, es decir una ternura. Más que rebelde yo era molesto. Y soy molesto. Me la paso provocando. Nunca alcanzo a ser absolutamente jodido, ni incendiario, ni molotov. Pero siempre necesito querer al que le estoy causando la herida. Y que me quiera. Lo que me saca, lo que me pone mal, son las repeticiones. Por allí pasa mi canción. Sea en la vida, en el arte, en la política. No aguanto tanto imbécil, día a día, repitiendo esa serie de palabras vacuas para que no suceda nada. Prefiero a Maquiavelo, obviamente. Lo repetitivo es imbancable. Voy a Rosario por una charla sobre el humor y el público nos pidió opiniones sobre Olmedo. Los panelistas dijeron más o menos las cosas que uno espera oír. Yo dije: "A mí Olmedo no me gusta, sé que ésta es la patria de él y que suena terriblemente profano, lo lamento por ustedes, pero su guión era una porquería, lo que hacía era chabacano, y no creo que la muerte lo mejore". Pensé que me iban a recagar a trompadas o por lo menos me iban a silbar. No, al final, se acercó gente a decirme que opinaban igual. Pero me lo decían de a uno. Juntos se sentían mancomunados por ser Olmedo el himno y la bandera de Rosario. En el fondo coincidían en que era un tipo que se repetía, que podría haber hecho cosas mejores, más bellas y renunció a hacerlas. Bueno, ése es un humor que a mí no me gusta para nada: machista, autoritario, retrógrado absoluto. Lo que yo criticaba era su repetición de gags. Tenía carisma pero su éxito se debía en gran parte a que todos esperaban que hiciera tal cosa y él lo hacía. Eso es un truco. Pero nada más.

—*El truco nacional para no hacer historia. Ricardo Piglia dice que es por eso que sólo repetimos presente.*

—Yo diría que es la repetición de pasado, pero por ahí tengo que pensar más la frase. Él dijo presente y yo pasado: debe ser porque hay una generación a la cual no pertenezco que tuvo un presente muy fuerte y todo lo que se hace a partir de ese momento es como una parodia de ese presente que no se repetirá jamás. Yo nunca viví un presente realmente glorioso generacionalmente, y creo que lo que siempre se está repitiendo es pasado. Yo nunca tuve un presente generacional interesante, construido socialmente. Siempre fue una historia de copia generacional. Así que estamos repitiendo un pasado paródicamente, ¿no? A mí me encantaría que repitiéramos un futuro...

—*Correntino por parte de padres, porteño por parte de Boedo. ¿Eso cuaja?*

—Yo no buscaba. Era donde me llevaban y en donde vivía. La cosa barrial y la cosa del campo, ¿no? Las vacaciones eran siempre en un pueblito, Santa Lucía, cerca de Goya, a orillas del Paraná. Y acá en Boedo, que no es precisamente un barrio del centro, ni barrio careta, en los 60 era un barrio bien de adoquín, de transición. Estos dos paisajes me han marcado urbanísticamente en la cabeza una especie de tranquilidad. El olor a barrio y el componente campo. Mis tradiciones familiares estaban lejos, en Corrientes. Los visitaba de turista, no conviviendo. No teníamos a los abuelos y a los tíos en el barrio. Papá y mamá fueron los únicos de ambas familias que se vinieron a Buenos Aires. Ellos se volvieron cosmopolitas y los otros se quedaron en el pueblo. Yo añoraba volver pero sólo de vacaciones, tanto que cuando en 1978 deciden irse a Corrientes, por cuestiones económicas, yo me retobé y digo no quiero ir, yo acá quiero dibujar, allá me voy a morir. Tenía dieciséis años. Desde los catorce trabajaba en Editorial Record, que sacaba la Última Edad de Oro de la Historieta: Escorpio, Corto

Maltés, El Eternauta y todo eso. Ahí fui diagramador pero no publicaba. En marzo del 76, justo, apareció mi primer dibujo, en una revista de Fabio Zerpa. Un chistecito, una cosa horrible que para mí es un hito por ser el primer dibujito. Aunque yo aún no era yo. No era dueño ni de mi razón. Si ahora soy inocente en ese momento lo era más. Era increíble. Era una hoja que se llevaba el viento y todos eran el viento. Mi despertar como persona y como dibujante es en el 80, en Humor, con una historieta llamada "El Recepcionista de Arriba" en la que yo juzgaba a la gente que se moría. Yo decidía si iban al purgatorio, al infierno o si se quedaban en el paraíso. Y así juzgué durante un año y medio a John Wayne, a Tita Merello, a John Lennon, a Nietzsche... Y fue aquí que descubro un estilo.

—*Tímido, pero ejerciendo de Dios... ¿A quién mandaste al paraíso?*

—A Oski, a Lennon obviamente. Los tipos muy admirados por mí no se quedaban sólo porque el "recepcionista de arriba", que venia a ser el portero de ahí, o sea yo, lo decidía. También decidían ellos. Eso sí, a los tipos que detestaba o sobre los que tenía duda los mandaba al infierno. Por ejemplo, Sabato. En ese entonces estaba un poco impactado con la lectura de *Sobre héroes y tumbas*, me duró dos años esa fascinación por el falso mito de Sabato. Lo juzgué y algo me hizo que no lo dejara en el paraíso, lo veía con tanto quilombo interno, que por último él mismo decide irse, él mismo juzga no quedarse en el paraíso y rajar para el infierno.

—*¿En qué momento sentís que estás de acuerdo con tu mundo interior y das lugar al primer parto del estilo, un muñeco, un monstruito, un personaje de tu propia imaginería?*

—Cuando aparece un estilo, cuando sintetizo al máximo todo: las búsquedas técnicas, gráficas, ensuciar, volver atrás, hacer medios tonos, cosas que yo no dominada. Digo corto con esto y hago el mínimo. Tenía dieciocho años. Me digo: ahora puedo decir me quedo con mi Altamira. Limpié todo el dibujo y a partir de ahí volví a empezar. También encontré lo que tenía para decir como humorista. Ahí nació una especie de estilo. Ahora leo esas cosas y me parecen medio ingenuas, pero compruebo que ya tenían algo que no me abandonó jamás: una mirada piadosa, una mirada comprensiva. Mi momento de inflexión fue un chiste sobre el Papa, que ya era este Papa. No me acuerdo exactamente cuál era el chiste pero el dibujo era muy sintético. Se la presenté a Cascioli, le gustó, me llamaron y me dijeron: "¿Y cuándo entregas la próxima?" Y yo me dije: "Bueno, esto me encanta". Y lo que duró fue realmente feliz. Ese año 80 fue un despertar para mí. Me enamoré por primera vez, traje a mi familia después de dos años horribles de estar ausentes, imaginate, en plena dictadura yo estaba solito acá en casas no deseadas, viviendo lejos. Y todo eso se juntó en el 80: el amor, la familia volviendo y cierta felicidad en encontrar cosas en el dibujo.

—*En tu manera de dialogar hay un manejo del idioma sustantivo, sintético, y también tics literarios. ¿Hay muchas lecturas detrás?*

—No, yo precisamente considero que no sé hablar y hasta suelo aceptar mesas redondas, coloquios, etc. para aprender a hablar. No me expreso bien y por eso soy dibujante, ¿no? Lecturas tengo por placer, ningún plan de lecturas, nunca leo para aprender, ahora cuando leo en voz alta ahí sé que aprendo a hablar. Pero no me considero muy expresivo cuando hablo, no construyo bien. Tengo otra lógica de lenguaje y me cuesta enhebrar oraciones o exponer algo. Por ser dibujante y por hacer postales, a veces hablo a la manera de mis postales, o algo así... Hago imágenes gráficas que por ahí expresan lo que alguien que sabe hablar dice en muchas palabras. Yo lo digo de la manera, claro, en que me da el cuero.

—*No existe una sintaxis petrificada. Joyce la quebraba a cada instante para generar la propia. Tampoco hay que creer-*

se el cuento de la academia, el brillo y el esplendor.

—Obviamente, me importa tres carajos la lógica y la academia. Claro. O Picasso. El tipo sabe el lenguaje; hay que saberlo para después destrozarlo. Yo quiero aprenderlo porque suma, no porque me vaya a volver más lógico o un hombre de derecha porque sepa eso y piense que me puedo explicar mejor. Es como en el dibujo, si yo sé dibujar más y mejor, se me van a ocurrir más cosas. Por ejemplo, en el 80, 81, 82, en los primeros años de dibujante yo no sabía dibujar tantas cosas como ahora. Había limitaciones en mi imaginación. Hoy sé que puedo dibujar la batalla de Iwo Jima, y me animo a hacerla y me animo a hacer el desembarco en Normandía, pues sé dibujar cada pequeña cosa. A mi modo, con mis torpezas, pero me le animo porque sé que es un universo que puedo abarcar. El lenguaje es lo mismo. Por supuesto que nunca voy hablar con la propiedad de Verbitsky, ¿me entendés? Pero la verdad es que me gustaría hablar como Verbitsky. Él comprende muy bien los dibujos que yo hago y yo podría comprender mucho mejor los discursos que escucho. Es una cuestión de curiosidad.

—*Hay campesinos iletrados que hablan mejor que muchos conferencistas porque tienen una clara mirada del mundo, propia, y los vocablos justos para los instantes justos que quieran describir o contar...*

—Y esos campesinos pueden hablar con haikus. Pero también es cómo se aprende a hablar, cómo se habla, cómo es el tema de expresarse, o es por aprendizaje escolar o por necesidad desesperante, y también por el entorno que hay. Si vivís con una tía muy locuaz y construye muy bien algo te queda. Si vivís en una familia de casi no palabra, como yo, te va costar mucho más hablar. No sé si nacés con el don, seguramente sí. Hay un don, una sed. En mi familia no me dieron jamás una indicación de arte, negados absolutamente, ni de dibujo ni de nada, un desastre, no sé de dónde cuerno salí dibujante yo...

—¿*No habrá sido de la inocencia?*
—Es niño, ¿no? Cuando tenés momentos de niño no pensás voy a decir una verdad que no transa, simplemente sale así. Es animal niño. Ojalá no se pierda. Creo que en ciertas estructuras como la de uno, eso ya no se pierde.
—*Es de lamentar que no lo tenga más gente...*
—Sí, es muy raro cómo reprimen al niño. Reprime la educación, la gente, la sociedad entera quiere reprimir al niño, cuando es tan placentero tenerlo. Si supieran que es una gran tabla de salvación. Aunque las chicas muchas veces se enojen, y digan: "¡Eh! Qué infantil que sos". Pero no es eso. Las chicas tienen que atacar la inmadurez, que no es lo mismo.
—*Imponerle a los chicos el "uso de la razón" los deja con la inocencia interrupta, sin terminar de hacerse.*
—Eso se nota mucho en el dibujo, porque todos los chicos dibujan bien. Siempre vienen los padres diciendo "ves que mi hijo dibuja bien". Tu hijo dibuja bien como dibujan todos bien, no me rompas... Hay que ver cómo quedan después del filtro de la educación, de tu filtro de papá y de mamá que le vas a exigir que dibuje como Billiken o como Dragon Ball, pelotudeces que yo también soporté, que dibujes como Billiken, que hagas bien el manual de Sarratea y todas esas cosas. Todos los chicos saben dibujar. Pero es eso, es la limitación del lenguaje, la desesperante necesidad de expresarse. Es Altamira.
—*Pasa con la palabra. Cuarenta niños a quienes se les pidiera una composición sobre el pato harían cuarenta patos diversos. Cuarenta adultos, no sé...*
—Esta sociedad le tiene miedo al niño, y sólo va al niño de una manera turística, viéndolo como adulto. La postura es: nos va durar poco el niño, así que miremos qué ángel que tiene, qué lindo que es, mirá lo que escribió, mirá lo que dibujó, porque se acaba... Más que se acaba, lo acaban. Y ni se va dar cuenta que lo acaban, que es lo peor. Que vos creés que es una edad que se supera,

que con la madurez todo mejora y todo se vuelve muy solemne y careta, y con eso lo único que se gana es entablar relaciones equívocas toda la vida. No se puede creer. Yo no digo que haya que ser inmaduro toda la vida, sino que hay que convivir con el niño toda la vida, que no se lo debe matar. Como hay que convivir con el viejo que uno lleva adentro. Yo lo tengo desde siempre. Nunca quise tener una edad, nunca quise ser uno de MTV, ni antes de MTV. Hablo mucho con viejos. Me parece que son tan maravillosos como los niños. Está esa otra edad productiva podrida, a mí no me gusta precisamente esa edad a la cual pertenezco a pesar de que me veo como un niño. A veces me dicen: "Qué grande que estás ya", y yo digo: "Pero si yo soy un niño, cómo voy a estar grande". El almanaque te dice ya no sos un niño, los demás te dicen ya no sos un niño, pero uno sabe que lo es. Lo mejor de la vida son los dos extremos: lo viejo que va a ser uno y lo niño que ha sido uno.

—*Entre tantas utopías hay una fascinante: hacer sociedades en las que sus componentes nunca terminaran de hacerse. Hoy a las personas se las da por concluidas antes de tiempo, sólo se les permite un destino de fotocopia, se las cristaliza.*

—Ése es el principio de las represiones. Cuando la persona cree que está cristalizada, se queda ahí y dice: "Ya está, borraron a la goma, quedé en tinta y esto soy y no tengo más felicidad, no tengo más para descubrirme ni descubrirle a lo demás". Eso es matar el asombro, la curiosidad por la vida a pesar de lo dolorosa que es. Sobre todo la curiosidad por el animal propio, por uno mismo. El animal, el niño, el viejo, el no productivo, porque la cagada de todos nosotros es eso: la edad productiva. No sé de cuándo a cuándo dura, pero la sociedad sí sabe.

—*Vayamos a tu sociedad. A esa población que te habita. Esos personajes que viven en la contratapa de Página/12. Entre ellos, "Gaspar, el revolú".*

94

—Página/12 empieza en el 87, cuando yo hacía, en Humor Registrado, una historieta que se llamaba "Los de Alfonsín". Lanata me convoca para que la haga en su diario y le digo que no, que voy hacer otra cosa. Le llevo algo que en un principio se llamaba "Mocosos", niños que querían llevar a uno de lo suyos a Diputados. Pasa que en 1987, después de la Obediencia Debida y el Punto Final se me había quebrado toda esperanza en la dirigencia adulta. Entonces creo una historieta en la que los niños imponen un candidato y meten un diputado, que es una chica de la villa que se llamaba Socorro, y ella trae a otro personaje que se llama Auxilio, y cuyo padre es este Gaspar, el revolú, que después medio que se adueña de la tira sólo porque es una parodia de un lector medio de Página, el lector progre, típico, lleno de lugares comunes, que no soporto, los lugares comunes *benedettianos*, *galeanos*, como no soporto esas cosas como hay que ser progre de izquierda. Entonces con Gaspar estaba mi crítica. Pero Gaspar nunca me conformó. Gaspar trae a otros u otros vienen solos. Un día aparece Lukas. Otro día Gaspar tiene dos bebitos.

—*¿Lukas no aparece por azar?*

—Aparece como compañero de escuela de Auxilio, con un amor medio difícil, pero de ella, no de él. Él cree en durar. A él nadie lo llamó a este mundo pero tampoco va hacer nada para irse. Simplemente va a durar y ver el sinsentido de la vida. No creo que sea un personaje tan atípico. El tipo dura, está como en una cinta de aeropuerto donde te llevan. Eso es Lukas. El ciudadano del mundo de hoy, en la era del vacío, pero que la sabe. No todos pueden alcanzar a saberse Lukas. Es que Lukas incluso podría ser un personaje absolutamente silencioso en el camino, pero lo que pasa es que vienen los demás y lo dibujan. Los demás son lo que vienen y le hablan y él tiene que contestar porque si no él no necesitaría ni hablar. De todas maneras, como yo soy un humorista y hago un personaje humorístico tiene el condimento folklórico de que es *dark*. Y una manera de hablar de poesía maldita, que le va a él naturalmente, porque como es el dibujo le va saliendo a él y no a mí. Yo antes de eso no había leído jamás poesía maldita ni poesía dark, ni nada. Simplemente me parecía que él tenía que hablar de esa manera tan rara. Y me parece un personaje extrañísimo, indomable, ¿no?

—*¿Cuántos años tenés, Miguel?*

—Tengo treinta y nueve ahora.

—*En tus dibujos no hay personajes del mundo del rock. ¿Por qué?*

—Es porque yo soy del rock, y soy como lo camellos del Corán como diría Borges, no hace falta ni que lo nombre al rock. Así como (no quiero compararme, por Dios), pero así como el sonido de Dobal era el bop, o como el sonido de los dibujos de Sábat es el jazz o el de Calé el tango. Bueno yo siento el rock de esa manera, pero no el rock de ahora, no el rock MTV. Soy hipercrítico y detesto esta era del rock; es hora de que se muera de una vez por todas. No es rock eso, es marketing. No creo más en el rock. Creo que ha hecho su gran aporte para que esta vida de hoy sea tan miserable, tan rápida, tan marchosa. Creo que la batería del rock tiene mucho que ver con la marcha militar, es decir, que nos marchen. La gente que está con el walkman en el colectivo creo que camina vampirizada, con la marcha del baterista, el baterista le está marcando el ritmo. A mí me gustan los Beatles. En casi todas la cosas me gusta lo arcaico. Las etapas arcaicas un poquito antes de ser clásicos. Cuando se vuelve clásico, no la manera del clásico visto después de mucho tiempo, no la manera del Quijote o de Shakespeare. Eso es otra cosa. Clásico en cuanto a: "Me la creí, ya no soy arcaico, ahora a durar hasta la década..."

—*Es decir que lo que no te gusta es la retórica. Cuando algo se plasma, cristaliza y repite, ahí, naturalmente te abrís.*

—Los Beatles, por ejemplo, se acaban una etapa arcaica, van destruyendo lo arcaico anterior y se mueren en un momento de

96

algún sentimiento arcaico porque los destruyen antes de quedarse, de decaer...

—*En tu obra hay un capítulo desopilante y es "Bellas artes", ese panel donde revisitás las obras emblemáticas de la pintura, desde Altamira hacia acá te has metido a tu aire en obras maravillosas. ¿Buscás decir todo se licuó, todo se disolvió, hay que dar con formas nuevas?*

—"Bellas artes" lo hago porque a veces no entiendo esos cuadros o porque me producen un gran enigma y necesito penetrarlos para comprender cómo el tipo lo hizo. Mi manera más inteligente de vivir es dibujando, comprendo las cosas cuando las dibujo. Aprendo cómo es el espacio de Las Meninas o el espacio del Guernica entrando en los cuadros, compartiendo con la gente, "miren qué cuadro curioso o qué cuadro paradojal". Pero ésta es una sección de dibujantes. Tengo una gran curiosidad en general, sobre todo por la historia, porque los cuadros son la historia. Los tiempos vienen acelerados y veo más cosas malas que cosas que me hacen bien. Este aceleramiento está impuesto por instituciones que no me agradan. No me gusta eso de los quince minutos de la fama, o lo de la aldea global o esos slogans que se quedan ahí petrificados y que hacen que la gente se comporte de esa manera porque ya está dicho. Hace falta volver a tirar las cartas.

—*Uno de tus más importante personajes, Gaspar, vive siempre con la necesidad imperiosa de ir al diván de donde nunca pareciera traer nada que lo modifique. ¿Por qué fracasa Freud con Gaspar?*

—Porque está en la cadena productiva, se siente un perdedor, no puede hacer nada y está lleno de miedos. Miedo al miedo y miedo al miedo al miedo y cada vez peor. La vida se le pasa y él no acaba por tener ninguna decisión, ni siquiera dejar terapia, es regodearse siempre, rizar el rizo, rizar el rizo. Pero no es una persona, es un personaje, así que no debemos preocuparnos tanto.

—*Hablemos de las filias y de las fobias de Miguel Rep.*

—Mi placer ante el trabajo acabado. No gozo en el durante. Sí en el antes y el después, es decir, cuando se me ocurre la idea y digo: ésta es una buena idea. Pero es un mito que la labor es un placer. He estado noches trabajando duramente y sufría. Claro que al concluir y volverlo a ver y después publicado, ésa sí, ya es un instancia de placer. Está el odio y el amor ahí. Lo que de verdad me da un gran placer es la lectura. Es algo que me viene desde chico. Sobre todo ese pibe Shakespeare, esa veta Hamlet, y Borges me da mucho placer, mucho, terrible. Algunas historietas, autores como Oesterheld, leer cosas de Quino. Leer el diario, leer sobre historia y ensayos. La poesía no es lo mío. Y la música, claro. En cuanto a fobias, la televisión. Me apena sentarme frente a la tevé como si fuera un deprimido y comerme algún "mejor de lo peor" de lo que están pasando. Pero tiene algunas cosas lindas, como un partido de fútbol. O documentales. Me gustan mucho los de la primera y segunda guerra mundial y los de animales, que son mucho más humanos que los noticieros. Sí, porque siempre el macho está buscando cuidar y procrear, y se va un rato a cazar. Siempre es así. Le pasa a la comadreja, le pasa al león y al bichito de San Antonio. Siempre el mismo argumento, como que ves que el argumentista de la raza viva es muy básico, ¿no? Y me embola mucho la masificación, la prepotencia. Esos que hace poco eran jóvenes y estaban en veremos y ahora son los clásicos asquerosos y se la creyeron. No me apasionan los que están de vuelta, sino los que están en veremos. Yo quisiera estar en veremos siempre.

—*Si pudieras firmar tres decretos de necesidad y urgencia ¿cuáles serían?*

—Más que eso, me gustaría tener como un poder especial para convocar a cierta gente que creo que es convocable para poder dictar leyes. Alguna gente a la cual le dijera me parece que hay esta cosa que hay que arreglar cuanto antes, y me parece que tiene que ver seguramente con eso que yo detesto que es el sentido común, pero que en política es necesario. En mi vida combato lo que sea sentido común en el lenguaje, en cómo hay que ser, y todo eso. Sé que en política hace falta pero yo realmente al sentido común lo detesto.

—¿Y por qué habría de servir el sentido común para lo colectivo y no para lo individual?

—Porque lo colectivo es una suma de lo individual y requiere algo en común. Creo en el anarquista de cada uno, pero también creo que los niños no deben entrar en la misma bolsa que los adultos. En conjunto estamos en plural y en soledad estamos en singular. El hambre, la desocupación, requieren soluciones de sentido común, las aspiraciones individuales de la gente, no. Quiero que mejore el colectivo para que mejoremos todo, incluso para que mejore yo, porque yo nunca voy a ser feliz si el colectivo está infeliz. No tomaría medidas ingeniosas sino básicas para que la gente esté mejor. Después sí propondría cosas más delirantes, pero de eso me cuido yo, pues es muy frívolo pensar sólo en un clansito, ¿no? En los artistas solamente y así. Si tuviera que tomar una medida política sería resolver el hambre y la educación, esas cosas tan obvias. Pienso que deberíamos contar con un consejo de gente humanista, sensible, que dicte estas leyes, y no estos sátrapas que nos toca sufrir. Allí está: pediría un poder especial para expulsar a estos sátrapas.

—*En el primer cuadro se ve un escueto paisaje pampeano con rancho de paja, un pequeño banco. Es como una pequeña radiografía de un Molina Campos. Un caballo pensativo al lado de un sauce, una paloma por allí volando, una sola nube, y en un globito el texto de la voz de alguien que no se ve: "Zoilo". En el segundo cuadro, delante de este rancho pasan un pingüino, un camello y aparece el largo cuello de la jirafa. En el tercer cuadro la misma voz, en el mismo paisaje del primer cuadro desolado pero sin esos animales exóticos para la pampa. Está cayendo nieve y la voz pregunta: "¿Por qué no salimos del rancho Zoilo?", y éste que le con-*

testa: "Le tengo miedo a la globalización, mi china", mientras escucha música MTV. Ésta es la globalización llevada al extremo máximo: un hombre de campo. ¿La vivís como tu Zoilo?

—Como un hecho mercantil. No es de comunicación porque cada vez hay menos. Es de informática, de internet, de información trucha, esa que deja colar el poder. Pero la globalización no es más que leyes de mercado, acá no hay igualdad de oportunidades, no vamos a ser iguales, no vamos a ser la canción *Imagine*. La rebeldía humana se va a refugiar en la región, en lo tribal. La globalización no es humanista sino materialista. Es para que las bolsas trabajen al unísono, y que los ladrones de las bolsas roben al unísono. Con más oportunidades para robarse sin esperar que venga un barco, y para que el movimiento de dinero sea mucho más veloz, que los ricos sean cada vez más ricos y los pobres cada vez más pobres.

—*La velocidad parecería no ser humana, ¿no?*

—No, no es humana. Y el ritmo de la televisión es ése, el ritmo urbano es ése, y la vida pasa y uno no se sentó a saborear el Toblerone. Me parece que la vida es otra cosa más grata que hay que saborearla de otra manera. No quiero una vida cocaínica como los del poder, que están todo el tiempo con la nariz blanca y porque no se la bancan, se vuelven insensibles. Por supuesto que no podemos decir que todo está insensible. En los pueblos no hay una sola computadora, el ritmo es sólo de Tinelli o del Rayo, el ritmo rápido, y la gente sigue apaisanada, ¿no? Yo cuando escucho la palabra globalización me llevo una mano al *Pedro Páramo*, es decir, que cuando escucho una palabra grande y hay que decir algo sobre eso, por ejemplo: globalización, institucionalización, identidad nacional, ser nacional, definición del humor, esas cosas grandes, yo no sé qué decir, son cosas tan grandes que prefiero hablar de cosas pequeñas, más dominables, más domables por uno, más agarrables, como ir al kiosko y agarrar los Sugus, no todo el kiosko...

—*Estaba esa obligación de mantener viva, día a día, una*

familia argentina de clase media en crisis. Esa familia y Rep entraron en colisión. Colapso. Rep que abandona a la familia y opta por lo no serial, por sorprender más cada mañana. ¿Qué pasó?

—Profesionalmente quiero libertad y los personajes te la quitan. Un personaje no puede hablar de otra manera de la que hablan, yo les presentaba una situación y me la podían resolver según sus personalidades, pero mi mundo, mi cabeza, necesitaba miles de soluciones distintas, delirantes, históricas, futuristas, aéreas. Los personajes conforman un habla o pequeñas miraditas y dibujos ya cerrados casi. Eso no me satisfacía, me quitaba libertad. Ellos eran como una familia con el lector y como toda familia me apresaba a mí. Me los quité de encima y vuelvo a ellos cuando tengo un tema que les va, que es lo que hago ahora, que cuando tengo algo para Gaspar se lo doy. La historieta no es adueñada, y la gente no tiene por qué encontrarse con ellos, ¿no? como pueden hacerlo con "Matías" o con "Clemente". No soy autor de esas características.

—*Así como hay un Miguel Lukas, el oscuro, ¿quién es ese tan raro Caramonchón?*

—Es una metáfora familiar. Creo que toda familia tiene su Caramonchón, su caníbal, su monstruo. Cuando era pibe e iba a Corrientes, mi abuelo andaluz me asustaba diciendo que había un tío Caramonchón en el estanque y que si yo mentía saldría del pozo. Yo iba al estanque pero nunca salió. Pero salió una vez en mi trabajo. Cuando se murió mi abuelo le hice ese homenaje en la revista Fierro. Me salió una cosa muy retorcida familiar, de canibalismo, con el monstruo que se comía a los familiares anteriores, a la mujer, como una tradición de monstruo caníbal. Luego que hice esa historieta y liberé lo dramático, empezó a ser un personaje más humorístico, es decir aquel al cual uno le pide un deseo, por ejemplo: "Comete a Astiz", y si es un deseo profundo del tipo que se lo pide, él lo hace.

101

—*Sublimaste el monstruo familiar infantil en un valor social, en un justiciero.*

—Claro, es el administrador de justicia. Me salió eso, y veía que la gente me pedía que se comiera a tal o tal. La ventaja del personaje es la de ser simple, muy minimal, casi como un huevo frito. Su desventaja, que no podré dibujarlo toda mi vida porque es muy simple.

—*En esta fauna propia hay también lo opuesto a lo ya consagrado en historietas. Algo tan impensable como una situación así, de pareja, entre una anchoíta y el holograma. ¿Y esto?*

—El amor imposible. Con el holograma y la anchoa estoy hablando de la incomunicación de la pareja, del absurdo de tratar de que dos se junten en este mundo donde ni uno mismo se junta con uno mismo.

—*Uno no es más que la suma de un holograma y una anchoíta.*

—Sí, es eso. Ella, algo corpóreo y absurdo. Y él, holograma, algo de ahora. Para mi el varón en esta sociedad, yo mismo, es menos concreto que la mujer, más ambiguo que la mujer. De vivir en el 1600 habría puesto un fantasma. Bueno, el holograma es un fantasma de hoy. Un fantasma tecnológico. Además, en mi dibujo es totalmente informe y se mueve. A veces es lo que me pasa a mí, ¿eh? Me gusta dibujar una cosa de transformación.

—*¿Hay algún personaje con privilegios?*

—Por épocas. Últimamente es Lukas. Aparte es el público que más me gusta escuchar. Es muy extraño el público que apela a Lukas. En otro momento eran otras historietas más políticas como el pibito que se había subido a un árbol en "Los de Alfonsín" y se había vuelto anarquista. En otro "El Recepcionista de Arriba", después fue "Joven argentino", una historieta erótica. Mis personajes no son logotipos tan fuertes, les doy algo de levedad y creo que la gente no los hace carne del todo porque soy muy discontinuo. Donde la gente me sorprende más es con "Postales". A Quino le deben haber dicho tanto de Mafalda porque el hacía tan poquitas cosas y Mafalda era tan fuerte en él. En mi caso sucede con "Postales".

—*Son dardos finísimos y aún pública, tu obra más secreta, por lo ambigua. Decía Chejov que lo más importante no era escribir sino tachar. Las "Postales" son tus tachaduras. Restos, dibujos haikus.*

—Es que no merecen más desarrollo que hasta ahí, y que me los tengo que sacar. Alguno colegas me acusan de deperdiciar ideas. Quino me dice cómo podés hacer una idea distinta todos lo días, es un abuso. Con "Postales" peor, porque tiraba una cosa que podía durar una página, pero bueno si eso realmente se entiende ahí, no tenía que durar una página, por qué alargar el chicle. La medida era esa, ascética. No quiero ser muy jodido, pero cuantas historias largas o novelas no dan para algo bien cortito, que sería su medida exacta. En esa sequedad, en esa cosa tan chiquita se potencia más toda la fuerza. Es una ojiva y chau. ¿O una explosión debe dudar años y años?

—*Rep, de ser un animal, ¿qué animal serías?*

—Es muy fuerte esa cosa que siempre ha sido del horóscopo.

—*Ésta no pertenece al horóscopo sino a la pregunta.*

—Es que me veo compenetrado en los personajes del horóscopo chino y los del maldito horóscopo occidental.

—*Vayamos al zoológico entonces. ¿Cuál es el animal que te intriga más?*

—Ah, el que me intriga, no el que soy yo.

—*El animal en el que encontrás una comunicación que no se da con otro.*

—El bebé.

ANTHONY BURGESS

YO SOY EL AUTÉNTICO BORGES INGLÉS

Hay sesenta y seis años sobre este Anthony Burgess que gesticula, brama y clama al cielo mientras me arrastra por el malecón de Montecarlo porque quiere que bebamos en el único sitio bohemio del principado. "Fotos no. Las fotos son tristes. Ahora soy feo. Liana luego nos hará una. Fotos no." Liana es su ángel guardián, la que traduce su obra al italiano y la que va al mercado. Él, quien escribe las rigurosas mil palabras matinales, compone su cuarta sinfonía por la tarde y nada en infinitas grapas italianas por la noche. Empezó a novelar cuando tenía treinta y siete, tras ser soldado en Europa, funcionario de tercera en Malasia, crítico de primera en "The Observer" y fantasma de última durante algunos años "que fueron más negros de lo que debían ser". Católico, íntimo de Graham Greene ("Pero ahora no, porque Graham sólo quiere a Greene"), este Burgess sonó fuerte en el mundo cuando Stanley Kubrick filmó *La naranja mecánica* ("mi libro que más desprecio"), no dejó de sonar a cada nuevo libro y lleva ya cuarenta, hasta este *Fin de las noticias del mundo*, que fue visto en USA y Europa "como el libro que marca el antes de Cristo y el después de Cristo de todos los libros".

Costó mucho dar con Burgess. Debí "seducir" a Liana, cruzar su aduana ("Política no. Fotos no.") y asegurar que la entrevista no pasaría de una hora. Fueron seis. Hubo fotos (aunque medio de asalto, a la carrera) y hablamos de unas buenas cosas que hay entre el cielo y el infierno. Cuando me despidió en el 44 de la Rue Grimaldi me estampó un sello húmedo de grapa en la frente. Fue un beso rotundo, dado desde otros siglos. Me marché preguntándome con quién había estado. ¿Con San Pablo? ¿Con un alquimista? ¿Con un juglar del siglo XVI? Lo último que le vi, antes de cerrarse la puerta, fueron sus zapatos. Grandes, rotos, abiertos. Como los de Chaplin. Creo que hablaban.

—Hablo siete idiomas pero el español muy poco. Sólo sé decir "España", "flamenco", "mi mujer se murió, viva la alegría", "si bebes para olvidar, paga antes de empezar".

—*Hablemos en italiano. ¿La naranja mecánica fue un peso o una liberación?*

—El libro salió hace mucho. El film no me gusta. Es pesado y algo pornográfico. Una cualidad alemana. Kubrick es inteligente pero no tiene sentido del humor. Me gustan "2001" y "Lolita". El mío no.

—*Si Alex, el protagonista de* La naranja..., *hacía las barbaridades que hacía en la Inglaterra de los años sesenta, ¿cómo sería y qué haría en este Montecarlo de los 80?*

—Sería un burgués, casado y con hijos y la violencia una verdad de su pasado. En el libro señalé que la violencia es un aspecto de la juventud y no de lo humano en general. Esto no quedó claro porque en la película se traicionó el sentido de mi libro. Esos cuatro personajes jóvenes, cargados de energía no tienen cómo manifestarla y por eso son destructivos. Pero mi pequeño Alex en el fondo es un músico y no el asesino y violador que parece ser. En otra sociedad Alex al llegar a los veinticinco años habría sido compositor. En la edición americana (también en la argentina) falta el último capítulo, donde presento a Alex años más tarde de la acción, ya maduro y con la violencia como hecho del pasado. En la edición inglesa el libro tenía veintiún capítulos, símbolo de la madurez, pero los editores de Estados Unidos dijeron que sus lectores no aceptarían un final débil, humanístico. "Queremos un libro sin esperanza", dijeron. Kubrick no conocía la versión inglesa y trabajó sobre la americana y recién lo supo al terminar el film, cuando yo se lo dije. Para mí es un problema porque así son dos libros.

—*Un libro Abel y un libro Caín...*

—Exacto, exacto.

—*Y viendo la violencia en otro plano, ¿no está el mundo en manos de dos inmensos Alex que con sus dos bates de baseball atómicos nos amenazan dar a todos?*

—Así es, pero soy optimista. Después de la guerra pensé que el fin del mundo vendría muy pronto. Ahora pienso que la vida humana continuará a pesar de todo. La vida debe continuar.

—*Sin embargo su último libro se titula* Fin de las noticias del mundo.

—Tiene otro significado. Este libro me lo inspiró una foto que vi del presidente Carter con su esposa mirando tres televisores a la vez. Sentí que ése es el futuro que se nos viene encima. Me planteé tres relatos que se entrecruzan y se apoyan en lo que siento son los tres hechos más importantes de este siglo: el descubrimiento del inconsciente por Freud, la idea socialista universal de Trotsky y la conquista del espacio. Al unirlos surgió una historia que marca la muerte de un mundo viejo y el nacimiento de uno nuevo. Como la única relación que tengo con mi país es escuchar de noche el boletín de la BBC, tomé el título de la frase final que el locutor repite al despedirse: "Aquí terminan las noticias del mundo".

—*Si hay familias que se sientan ante tres televisores, y si día a día una imagen intenta valer por mil palabras. ¿Por qué seguir escribiendo, Burgess?*

—Pienso que se avecina la hora de la destrucción de la literatura pues el mundo moderno vive a través de la imagen. Hoy la palabra impresa no significa demasiado y aun ni los críticos entienden qué significa. Hay un abismo entre lo que se escribe y lo que se lee. Cada crítico da su interpretación de lo que dice un autor, pero si hay muchas es porque no hay una. Si yo escribo la palabra "Dios", "amor", "sacramento", "Cristo", jamás poseen un igual significado para todos, como lo era en el medioevo. Lo mismo sucede con "libertad" o "democracia". Éste es el problema. En cambio la imagen no es ambigua.

—*Mc Luhan dice que la poesía no es el verso que escribe el poeta ni tampoco ese mismo verso leído por el lector, sino el espacio ambiguo que hay entre ambos...*

—Comprendo. El sentido de la poesía está en ese espacio y no en las palabras. En la novela es diferente. En cambio una imagen individual es muy simple. Como esta botella, mire. Y si la pone en una pantalla sigue siendo una botella. Puede convertirse en símbolo pero siempre será una botella. Éste es un gran misterio porque todos buscamos una verdad simple, pero en la literatura no se encuentra. Y ése es realmente el significado de este estúpido libro mío *Fin de las noticias del mundo*. De todas estas cosas quien más sabe es Borges...

—*A propósito, ¿qué me dice de la similitud de los apellidos Borges y Burgess?*

—Que yo soy el Borges inglés y él es el Burgess argentino. Creo que el origen es francés, "bourgeois", es decir "burgués". El azar ha hecho que yo tenga el mismo apellido que el gran Borges.

—*¿Cuál es su retrato personal de Borges?*

—Borges, mire... Borges no es un escritor. Borges es un brujo, un brujo. No es real, es un loco. Yo lo adoro a Borges. Es cierto que no ha escrito una gran novela. Si lo hubiera hecho, la real imagen de Borges ya sería increíble. Él ha hecho enormes descubrimientos que no pertenecen a la literatura real. Son ficciones, y en ellas no hay el compromiso lector-escritor que se encuentra en una novela. El novelista crea un personaje verdadero, que existe, y uno lo encuentra en la primera página y algo ya más cambiado en la última. En tanto cualquier página de Borges es la suspensión total de la realidad. Es un brujo, es un brujo. Toma a Averroes y hace otro Averroes. Él es al mismo tiempo el truco y el jugador.

Lo que hace es muy estimulante, pero no es literatura. Es demiúrgico, es mágico, pero un escritor no es un brujo. Admiro su locura. Es un genio. Lo suyo sobrepasa la literatura.

—*Kafka, la culpa; Greene, la santidad y el pecado; Borges, ¿qué? ¿Sólo "el otro"? ¿Qué más?*

—En él no hay unidad. Hay un viaje de Borges por el tiempo y por el espacio. Y según me parece todo gran escritor ha creado por lo menos diez personajes. Creo que Kafka es un escritor menor porque sólo trabajó sobre un tema: la relación ente padre e hijo. Y esto sólo no basta. A un escritor mayor, Shakespeare, Dante, Cervantes, no le basta un solo tema. Admiro a Kafka y ha influido mucho en mi vida, pero su importancia es más la del profeta que la del escritor. Su estilo no vale mucho. Los alemanes no lo leen por eso. Yo lo leí en alemán, me pareció un deber ir al original, y pienso lo mismo. Esto sucede mucho. "Doctor Zhivago", por ejemplo, gran film, no puede valorarse sin saber el ruso. Su mismo título es una resonancia bíblica. Son los ángeles quienes dicen, después de la muerte de Cristo, "cato zhivago", "cual hombre", "cual hombre". El título de la película no significa nada. Y para Pasternak significaba mucho.

—*Burgess, ¿por qué no se le da el premio Nobel a Borges?*

—Porque la academia sueca quiere ser estúpida una vez por año. Steinbeck, Hemingway, que no sabía distinguir entre el toro y el torero, no son nada comparados con Borges. Creo que es una cuestión política. Hace dos años en Dublin, en la celebración del centenario de Joyce, Borges fue presentado como el gran hombre de letras, el premio Nobel, y al hablar él no lo desmintió, pensaba que era justo... Y todos los que estábamos allí, también. Es que para los irlandeses no hay división entre literatura y vida. Respecto del Nobel, cuando Borges muera la situación cambiará.

—*Y si le dieran el Nobel a Burgess estando Borges vivo, ¿qué haría usted?*

—No, no me lo darán. Los suecos me consideran poco serio,

como a Borges, porque no tocamos esos "serios" temas de la política. Y la sucia política no es un tema para la literatura. No es posible, por ejemplo escribir un libro sobre la guerra de las Malvinas. Joyce tenía razón. Los grandes temas son los domésticos, la relación entre el hombre y la mujer, la importancia de la familia. Y poco más.

—*¿Y si la política es sucia no será por culpa de Platón que en lugar de echar a los poetas debió echar a los políticos de la República?*

—Sí, sí. Sin lugar a dudas. Temo mucho a la política y mucho más a la política centralizada. Por eso vivo en este pequeño principado donde la política no existe. Platón consideraba que los poetas no veían la naturaleza de la realidad como una copia de una copia de una copia. La política si, pero pienso que las palabras de la política, que la conducta de la política, pervierte el sentido de las palabras. Yo no puedo creer en las palabras de Madame Thatcher. Yo la conozco. Ella, como primera ministra, tiene el deber de falsear. Ésa es una condición de la política. Y el conflicto entre los partidos políticos es el de sus diversas versiones de la realidad y la verdad no se encuentra en la política porque es una no tres. Usted tiene razón. Platón se equivocó. La realidad está en la poesía y no en la política.

—*Y si los políticos no, ¿quiénes entonces deben organizar la sociedad humana?*

—No lo sé. Tal vez la solución está en la descentralización, en pequeñas comunidades como hay muchas en Europa, los milaneses, los catalanes, etc. Son creativos, tienen humor. Es esencial para organizar la vida. Y eso no lo hay en la política porque es demasiado "seria" y nunca creativa. La vida no es seria. La realidad es seria. Yo no puedo controlar mi cuerpo, mi cerebro. De eso se encarga otra persona que no conozco. Otro Burgess. Como la tierra, no podemos controlar la nieve o el relámpago. La vida es un juego. El amor es un juego. La realidad no es controlable, está en manos de Dios. Nuestra responsabilidad es jugar el juego de Dios. Por eso, en mi último libro, los importantes no son Freud o Trotsky, sino un hombre experto sólo en la ruleta de Montecarlo. Eso es lo importante, no las grandes ideas. La literatura es otro gran juego, porque juega como juega la vida. Y este divertimento es lo serio. Borges, ése es el gran jugador que sabe jugarle su partida a la vida.

—*En esta última novela, usted escribe que Trotsky vio por primera vez en su vida un teléfono en 1917. ¿Eso es histórico o novelístico?*

—Es cierto, es histórico. Lo leí en su autobiografía y todos los hechos que presento sobre Trotsky son reales.

—*Burgess, ¿por qué los británicos terminan habitando cerca del Mediterráneo y amando a mujeres latinas? Lawrence, Graves, Brennan, Greene, usted, tantos más...*

—Porque nuestras raíces están aquí. Porque somos más de Roma que de Londres. Los anglosajones no creamos una civilización y reconocemos que nuestras raíces son romanas. Hasta las calles, hasta la lengua. Por lo menos la mitad de ella. Para mí fue una necesidad salir de allá. Soy católico. Mi familia era católica. Hemos sufrido bajo los protestantes el sacrificio de un antepasado que fue quemado en la hoguera por ser católico. Fue bajo Isabel I. Él no podía aceptar que la reina fuera la jefa de la iglesia. Hemos sufrido mucho en Gran Bretaña por ser católicos y la intolerancia protestante continúa aún hoy y mucho. Un primo mío es arzobispo en Birmingham pero eso no significa nada dado que durante siglos nos impidieron llegar a la universidad o tener un lugar en la sociedad. Mi madre era una bailarina y cantante de music hall popular y mi padre un pianista de pub y de cines de barrio. En algún sentido yo los continúo porque también soy músico.

—*¿Usted compone?*

—Sí. He compuesto tres sinfonías. Ya han sido estrenadas en Estados Unidos.

—¿*Tienen nombres sus tres sinfonías?*

—Sí, la uno, la dos y la tres. (Y lanza una carcajada espacial.) No, no tienen nombre. La primera es en do mayor, la segunda en re menor y la tercera en mi mayor.

—*No me respondió por qué los ingleses gustan tanto de las mujeres del Mediterráneo...*

—Es inquietante esa pregunta. Mi primera mujer era galesa y se murió como Richard Burton, de cirrosis. El hígado de los galeses es demasiado pequeño. No pueden beber. Burton murió de beber demasiado, igual que mi primera mujer. No he podido en mi vida hacer el amor con una inglesa. Lo sentí siempre como un incesto. Es muy extraño. Nunca sentí en ellas esa atracción magnética de las chinas, de las malayas o de las italianas, como mi mujer. Creo que esto se debe a que Gran Bretaña es una isla muy pequeña y terminamos todos siendo una misma familia. Parece estúpido pero siempre vi como algo incestuoso amar a una inglesa. Algo endogámico.

—*Cuando usted se reúne con su amigo Graham Greene, ¿de qué hablan? ¿de arreglar el mundo o de sus próximos libros?*

— No es más mi amigo. Y no entiendo bien por qué. Es muy extraño. Es un hombre muy triste, sin amigos. Nuestro tema común siempre fue el religioso. Greene es un converso y él sabe bien que un católico converso no es un verdadero católico. Le falta tradición familiar católica y eso es básico. No es posible ser un converso. Los judíos no se convierten. La conversión de una nación es algo diferente. Pero la conversión individual no significa nada. Greene es un católico muy extraño, su drama es el de no comprender la naturaleza del catolicismo.

—¿*Y para usted cuál es la naturaleza del catolicismo?*

—La fe en la tradición mediterránea. El ajo y el vino.

—¿*Y qué es ser católico hoy, en el año de Orwell, de Pilatos, de Herodes y del Sanedrin?*

—La iglesia está en crisis desde Juan XXIII. Él era un buen hombre pero no sabía lo que estaba haciendo. Le quitó su sentido universal. ¿Qué es eso de cambiar el latín que es nuestra única lengua madre? ¿Qué es esto de un polaco en Roma? Es una vedette, una figura popular, pero no está ayudando a que la iglesia sea la iglesia. Hay que volver a las fuentes. No sé, una reforma tal vez. En el mundo de hoy sólo hay dos sistemas, el marxismo, que se ha traicionado a sí mismo y por eso ha perdido su sentido, y el catolicismo. Aristóteles, Tomas de Aquino son permanentes. Marx nunca lo fue ni lo será. Por eso el catolicismo es permanente. Cuando escribo palabras como "Dios", como "ético", como "amor", estas palabras existen porque ellas tienen detrás un gran sistema que las sostiene y les da sentido. Como católico que soy reclamo el cuidado de ese sentido. No hay otro camino para resguardar a la condición humana.

—*¿Usted va a misa, Burgess?*

—Sí, pero únicamente cuando se oficia en latín. A las misas vernáculas no voy. Las tolero algo en italiano porque es vecino del latín. Cuando vivíamos con Liana en Malta, la misa se daba en árabe. Dios convertido en Alá. No es posible. Un gran desastre.

—*Los ingleses no suelen gesticular y usted lo hace como un romano. ¿A qué se debe?*

—A que no soy de Londres, sino de Manchester, donde todos somos católicos. Y diferentes. Nunca consideramos a Londres la capital de nuestro país, sino a Roma, Dublin o Liverpool. Nosotros somos tiernos, no creemos en la violencia.

—*A propósito, si bien cada uno somos un Abel y un Caín, ahora somos muchos más, más de cinco mil millones en el planeta. ¿El equilibrio entre Caín y Abel está como en los primeros tiempos o la balanza se desplomó?*

—Éste es un gran tema. En el mismo año que escribí *La naranja mecánica* terminé un relato que los críticos consideraron hasta cómico, pero al que yo considero, tal vez, una profecía. Allí

115

presenté la Inglaterra futura en medio de la gran explosión demográfica que creo será imposible detener. Pienso que ella nos llevará, finalmente, al canibalismo. No en sus formas primitivas, pero canibalismo al fin. Creo, y esto es muy serio, que será la única solución. Las guerras se harán por motivos cínicos. Sólo para poder abastecer la necesidad de alimentación. En los supermercados, así como hoy hay cajas con carne de pollo, de cerdo, de cordero etc. (y como he visto en EE.UU., de mezclas muy dudosas, qué incluyen proteínas humanas) existirán cajas de trozos humanos de cadáveres previamente tratados que provendrán de guerras programadas con ese único fin. Consideraron esta fábula de ciencia ficción como escandalosa, pero yo intuyo que esta profecía se cumplirá. El control de la natalidad será imposible y dentro de cien años el mundo será un hormiguero refinado, pero caníbal.

—*¿Esto significa que usted me responde que de alguna manera indirecta triunfará Caín?*

—Ésa es una situación eterna. Es un mito muy interesante. Caín producía vegetales, en tanto Abel era pastor. Si la preferencia fue por Abel, es porque era necesario un sacrificio carnal y los productos vegetales de Caín no servían para el rito. Caín se rebeló porque le resultó injusto. Aldous Huxley trató esto en un libro dándole un sentido ecológico. En cuanto a su simbología pienso que está respondido en el relato aquel sobre el futuro canibalista que le espera a la humanidad. Y le repito, las guerras entre hermanos no pararán. Esto que le digo es terrible. Lo sé. Pero la guerra es un aspecto de la cultura humana. Hasta esa estúpida guerra de las Malvinas. ¿Qué hacen los británicos en esas islas donde no tienen una cultura, una literatura, no tienen nada? Esa guerra no tuvo un verdadero motivo, pero repito, la guerra es inevitable para los hombres.

—*No para todos los hombres, sino para ciertos hombres...*

—Exacto. Para Galtieri, para la Thatcher. Los dos tuvieron esos sucios motivos de la política. ¿En qué terminó? En cientos de jóvenes muertos y en unos soldados británicos destinados ahora allí que están hartos y piden a gritos "devuelvan este maldito archipiélago a la Argentina", mientras a los habitantes de las islas les llaman "bubs", iniciales de "bloody ungrateful bastards" (malditos bastardos desagradecidos). Es un asunto muy complejo que puede complicarse más todavía si llegan a encontrar petróleo o uranio en la Antártida. Entonces sí que habrá una gran guerra en el Atlántico Sur.

—*¿Qué conoce usted de Argentina?*

—Sé que es un país un poco italiano, un poco español, pero también un poco británico. Un país hecho por europeos. Tengo muchos deseos de conocerlo. Hay más de una razón. Hablar con Borges y visitar el lugar donde trabajó mi padre.

—*¿Dónde trabajó su padre?*

—Mi padre tras ser pianista, como le conté, pasó a trabajar en una empresa de Manchester y de allí lo enviaron a la Argentina cuando se abrió una filial.

—*¿Cómo se llamaba esa compañía?*

—Swift.

—*Entonces, cuando usted vaya a la Argentina yo lo llevaré a visitar Berisso. Es allí donde abrieron esa filial y trabajó su padre.*

—¿Berisso? ¿Cómo lo sabe?

—*Porque allí también trabajó el mío.*

Esta pirueta del azar a mí me dejó medio mudo por un rato. Burgess, más profesional ante el asombro, lo resolvió pidiendo su cuarta grapa. Después, hasta cantó en italiano y tarareó el adagio de su segunda sinfonía. El tiempo acordado con Liana había vencido varias veces.

—Debes escribir tus mil palabras de hoy. Si no lo haces no podrás dormir bien esta noche.

Anthony hizo el gesto del perdón, le ayudó con las bolsas del supermercado y enfiló, largo, desgarbado y fumando ansioso sus espantosos cigarros holandeses "Schimmelpenninck" que cuelgan siempre de su boca. Y máquina de hablar como es , no paró de saltar de un tema a otro, hacer señas y darme palmadas de ruso borracho. Así, hasta la puerta de su casa.

—Greene es más sabio que yo. No sale de su casa, no llevaría jamás unas bolsas de comida como hago yo.

—*¿Por qué?*

—Porque él es así. Muy solitario. Vive escondido y esperando cada mañana que le vengan a gritar "cerdo".

—*¿Quién le grita eso?*

—El marido de la mujer que Greene robó. Va todas la mañanas, se pone frente a la ventana de su casa y le espeta: "Salut Graham. Cochon, vous êtes un cochooooonnn!"

—*¿Y Greene qué hace ante esto?*

—Nada. ¿O acaso puede defenderse un hombre que ha robado una mujer?

JOSEFINA MANRESA

UNA MUJER BORRADA POR LOS BESOS

"Le han operado los ojos hace un mes. A mí no me gustan los cronistas. Pero ella lo recibirá." Y desaparece, huidizo, en el modesto piso familiar de Elche, ciudad de palmeras, en cuyo cementerio, a nivel de tierra, hay un nicho rotulado con el nombre y oficio de su padre: "Miguel Hernández. Poeta."

Mientras espero, me quito, de a poco, el estupor: este hombre de jeans celestes, botas tejanas, camisa tirolesa y tono altivo, es la prolongación vital (sic) de aquel infante a quien, hace cuarenta y tres años, el encarcelado Miguel Hernández, le dedicó las "Nanas de la cebolla", al enterarse que ni su mujer ni él tenían para comer más que pan y cebolla.

El soñado por su padre "rival del sol / porvenir de mis huesos / y de mi amor", regresa y me exige no verse implicado en la conversación que mantendré con Josefina, su madre. Va hacia la ventana, mira a través, se vuelve súbitamente, viene a mí, ofrece su mano huesuda y firme, la estrecho y se va. Quedo en la penumbra del salón. Josefina Manresa irá saliendo del silencio. No quiere ayuda. Es imposible olvidar que un día, aquel Miguel le dijo "Mis ojos, sin tus ojos, no son ojos".

—Disculpe usted. Acaban de publicar que estoy en la miseria, vendiendo cebollas en un mercado. Una infamia, y no porque no fuera capaz de ser verdulera, sino porque por sensacionalismo han querido unir "cebolla" con la memoria de Miguel y conmigo. Qué innobles.

Ya serena, confiesa tener los ojos "con los días contados" y que la hacen feliz los palomos que cría en su balcón, los geranios, su nieta y el lento recorrido, que con ayuda de una amiga, hace de las doscientas cartas que le quedaron del poeta. Entre ellas, la que comienza: "Tú eres más tonta que yo, y es una desgracia más grande haberse juntado o casarse dos tontos que casarse un tonto y una avispada o viceversa. Josefina, Josefina, Josefina: acuérdate de tu hijo y no tengas reparos en nada."

Sus sesenta y seis años se mueven palpando las paredes; lo hace con decisión. Luego da un limón a su nieta, arremete contra el calor que hace, aclara:

—Como viuda de una víctima de la guerra civil recibo una pensión escasa pero con lo que recibo por los derechos de Miguel me puedo arreglar. No me gusta la ciudad pero como es un contrafrente no hay mucho jaleo.

(Voz de hombre) —No he podido aparcar. No he comido, ¿sabes?

—*¿Cómo están sus ojos, Josefina?*

—Bastante mal. Me han quitado las cataratas y también los lentes. Casi no veo. Dicen que no se cura, que no voy a ver más. Sólo con cristales.

(La voz) —Tiene que ver con gafas. Eso es lo único. Y va a ver perfectamente.

—Mi vida diaria es muy corta. Ahora no puedo hacer nada. Me aburro. Antes era limpiar, leer, no salir de la casa más que a los mandados.

(La voz) —Te están grabando, ¿sabes? A ver si luego te arrepientes de todo lo que dices.

—Es normal lo que estoy diciendo.

—*Además lo tiene a su hijo Miguel al lado.*

(La voz) —Sí, pero yo no puedo estar siempre aquí. Y ella no quiere quedarse en mi casa. ¡Como es tan independiente!

(A la voz) —Miguel, ¿usted tiene hijos?
(La voz) —Una niña: María José.
(A la voz) —¿Y usted qué hace, Miguel?
(La voz) —Entrevistas a ella. Si tengo que contestar preguntas o hacer fotografías, me escabullo. Estoy cansado de todas estas cosas. Ella no.

—No es que me gusten. Yo también estoy cansada pero hay que hacerlas. Es que estamos muy escarmentados. Dicen cosas que no tienen por qué decir. Aunque hay que saber distinguir. Hay periodistas y periodistas.

Ella bate en el aire su mano derecha en señal cómplice de calma. Su hijo permanece en la habitación contigua, a la escucha, y así están las cosas. Me acerca su libro de memorias.

—Lo escribí en poco tiempo y me animaron a publicarlo. Pero le falta mucho. Pero habrá segunda edición en la que agregaré fechas y muchas cosas. Creo que me precipité al publicarlo. La única satisfacción es que todo lo que digo es verdad. No me arrepiento de nada. A veces mi hijo (pausa, giro de cabeza hacia el otro cuarto) dice que no tendría que haber puesto cosas de determinada gente. Yo puse el ambiente del pueblo, el ambiente que Miguel vivió. A veces me pongo a escribir cosas del pueblo y vienen nuevos recuerdos de Miguel, de los niños. El primer hijo se nos murió. Se llamaba Manuel Ramón. A éste, a Miguel, a quien vio nacer, le escribió las "Nanas de la cebolla". Cuando detuvieron a su padre tenía tres meses. Terminó la guerra y lo tuvieron cuatro meses preso, vino a Orihuela y allí se divirtieron con él, lo detuvieron para toda la vida, en su pueblo. Y eso es una pena muy grande que no se puede olvidar en un momento.

—Miguel es muy conocido en la Argentina. También hizo mucho por la difusión de su poesía el disco que grabó Serrat.

—Cuando estaba componiendo quiso hacernos conocer algunas de las canciones, Miguel fue por una guitarra y nos las cantó.

—*¿Cantaba Miguel?*

—Sí, le gustaba cantar. Era de voz grave.

—*¿Se lo contó a Serrat?*

—No, no me lo preguntó. Yo cuento en el libro que cantábamos juntos. Muchas coplas él las aprendió de mí.

—*¿Y cómo le llegó a usted el texto de las "Nanas de la cebolla"?*

—En una carta, desde la cárcel. "Para que lo consueles te mando estas coplillas. Hasta aquí me llega el olor de la cebolla que comes. Mi niño se indignará de sacar zumo de cebolla en vez de leche", cosas así decía. El poema yo no lo tengo, me lo quitaron. Ignoraba la mala fe de la gente pero me lo quitaron personas que venían a ver cosas... Algunas pude recuperar imaginándome quién las tenía. Creo que en total son doscientas cincuenta cartas... después de tres años de guerra y casi tres de cárcel y de novios también. Mis cartas no existen. Miguel decía: "Tus cartas se caen de rotas..." de tanto que las leía. Y muchas de las que trajo, las rompí yo. No tenían nada cultural como las de él.

(La voz) —Bueno, ya ve que no se va vacío. Viene a entrevistar a mi madre y la entrevista.

(A la voz) —También sería importante que hablara usted...

—Sí, pero como él no ha conocido a su padre... Y un padre como ése... En todas las cartas estaba presente el hijo. Cuando yo le escribía que Miguel ya caminaba me contestaba: "Las carreras que nos vamos a dar los dos".

(La voz) —Como cualquier padre.

—*No, porque hay padres que ni se fijan en los hijos, ni piensan en jugar con ellos. Su hijo está siempre en la poesía de Miguel.*

—Está en todo. Las cartas son poesía, igual que como hablaba. Fue una pena muy grande que lo mataran de esa manera, tan

124

joven y tanto que valía. Eso no se puede olvidar.

Josefina abre ahora una caja de madera y como si fueran naipes su mano distribuye un arco de fotografías y dibujos sobre la mesa blanca.

—Este retrato es de Conde Gorban. Me lo enviaron de Pontevedra. Esta foto es la de la ficha policial. La que le hicieron al meterlo en la cárcel. El hijo que murió era igual a su padre. Miguel en cambio se le parece en las piernas y el andar. Algo, poco, en el semblante. Las facciones de Miguel eran muy extraordinarias. Tenía los ojos grandes en la flor de la cara. Y la boca grande. Muy varonil era.

(A la voz) —Y usted, ¿a quién siente que se parece más?

(La voz) —Vicente Aleixandre dijo que yo tengo de mi padre el cuerpo fuerte y bajo.

—Y era muy divertido. A veces se aguantaba y después se le iba la risa "a borbotones", como decía él. Tenía muy buen trato con todo el mundo. Le gustaba recitar sus poemas...

—*"Tu corazón, ya terciopelo ajado..." es uno de los versos más bellos que se han escrito en lengua castellana.*

—La elegía gusta mucho... La elegía a Ramón Sijé.

(La voz) —No sé para usted, pero para mí es lo mejor que ha escrito mi padre.

(A la voz) —En la dedicatoria, su padre escribe: "A Ramón Sijé, con quien tanto quería". Una singularidad que el disco no trae pues transcribieron "A Ramón Sijé, a quien tanto quería".

—Tendríamos que pedirles que rectifiquen. Es tan diferente.

(La voz) —Es un error gramatical tremendo.

—*Permítame decirle, Josefina, que usted sigue siendo tan bella como aparece, de perfil, en la famosa fotografía de ambos junto a una máquina de escribir.*

—Eso fue en Jaén, el mismo mes que nos casamos. Él se ponía a copiar sus cosas y yo le decía que me enseñara, entonces ponía una cuartilla en blanco y me dictaba tonterías, nos reíamos mucho. Es que la juventud es así de preciosa. De mí le gustó todo, aunque también buscaba cambiarme. Insistía en el asunto de los besos y yo no quería. Estuvimos disgustados seis meses cuando se fue a Madrid. Me extrañaba que queriéndome mucho empezaran a aflojar las cartas. Luego volvió. Primero le escribió a mi padre, luego a mí, confesándome que mujeres como yo había pocas. Yo no creía que otras mujeres valieran menos o igual que yo. Sólo me gustaba ser como cualquier mujer del mundo. Miguel me veía así por la felicidad que traíamos. Estando juntos el tiempo siempre era poco. Solamente fuimos una vez al cine. En el teatro "Circo". No recuerdo qué vimos porque estuve muy incómoda. Es que él tenía el brazo en la butaca y yo quería que lo sacara. Así no veíamos la película ni nada.Miguel tampoco la vio. Se pasó todo el tiempo mirándome. Tampoco quería que gastara el dinero, me gustaba más pasear al aire libre. Sentarnos en un tronco de árbol, hablar de nosotros, escucharlo. Me leía. Decía que el mejor escritor era Cervantes. Pero no tuvimos mucha ocasión de hablar de libros. Nosotros nunca fuimos a un bar. A mí me daba vergüenza. Si iba sola y pasaba por la puerta de alguno, bajaba a la calle pues los hombres salían corriendo a echar piropos. Así era entonces. Y vino la guerra. Nos casamos en Orihuela, un mediodía de marzo del 37. Los padrinos fueron un tal Bóveda Jesús, que se casó con la novia de Ramón Sijé y emigró a México, y otro amigo, Carlos Fenol. No fue por iglesia. En esa época no había iglesia. Iban siete meses de guerra. A mi padre lo habían matado poco antes. Pasamos por Jaén a ver a mi madre e hicimos la primera noche en Alicante y luego nos fuimos a Jaén. Nos dieron un lugar en la casa requisada a una marquesa. Salíamos, paseábamos. Miguel no se detenía, era el puro entusiasmo. Sacaba el lápiz y escribía en cualquier momento. Lo hacía mucho en la sierra. Nunca escribió en la mesa de la casa. Yo nunca lo vi escribir una poesía. Él se iba al campo para eso. Escribía sobre la rodilla, como cuando era cabrero. Esas raíces no había quién se las quitara. Miguel no era ni alegre ni triste. Era bastante atento. Él se merecía vivir y gozar la vida, porque le daba mucha importancia a cualquier persona y a cualquier objeto.

—*De poder estar Miguel ahora aquí, con nosotros, ¿qué habría hecho? ¿Traería vino?*

—Sí, y algo de jamón. O tomates. Cuando venían amigos siempre pedía que preparase una ensalada de tomates. Pero no tuvimos muchas visitas de amigos. Todo lo nuestro fue un vuelo.

—*Hoy fui al cementerio de Alicante y le llevé dos rosas. Pregunté al cuidador si había enterrado allí alguna otra personalidad española y me dijo que allí no podía haber muerto más importante que Miguel Hernández...*

—Lo van a ver mucho... ahora que murió. Lástima que no lo descubrieron cuando vivía.

—*Pero no murió nunca.*

—Sí que murió. Yo lo querría tener aunque sea de cabrero, de cuidador de cabras como fue.

—*¿Qué fue lo último que le dijo a usted?*

—Fueron diez minutos en que fuimos a verle, estaba casi muriéndose. No había llevado al niño pues había ido con él el día anterior. No pensé que me dejasen pasar otra vez con el crío. Miguel preguntó por el chiquillo y me dijo: "Lo tendrías que haber traído". No lo vio por última vez... Él sabía que se moría y no me dijo nada, ninguna advertencia. Esa pena no me la quería dar. Cuando Miguel murió tuve una desesperación de diez años por lo menos. De darme contra las paredes... Así fue la desesperación mía.

—*¿Miguel era creyente?*

—Él no decía nada, pero creo que sí creía. Una persona que era tan buena... creer en Dios es eso: ser bueno con los demás.

Pero en esas cosas de la Iglesia, no.

—*¿Qué otra pasión tenía Miguel?*

—Le gustaba comer. Siempre decía que cuando pudiera ahorrar algún dinero se alimentaría de verdura, fruta y pescado. Fíjese que cosa tan natural la que pedía el pobre. Cuánta hambre y necesidad había pasado. El pan le gustaba mucho. Si le hubieran mandado uno diario no se hubiera muerto. Cuando estaba en Alicante me pedía que le mandara algarrobas. Y tomate. Yo le mandaba carne pero no la quería. A Vicente Aleixandre, que le mandaba de lo mejor (jamón, etcétera) le decía en una carta: "Prefiero la cantidad antes de la calidad". Tenía que llenar el estómago. Ése fue su otro drama. Tras su muerte, el apoyo que tuve fue el de Vicente Aleixandre, quien me estuvo mandando dinero hasta 1962. Recuerdo que me operé de la vista y me regaló mil pesetas para las gafas. Con él me he escrito mucho, ahora menos, porque no está bien. Hace poco me decía: "Josefina, tienes que escribirme, que eres mi compañía".

—*¿Miguel era comunista?*

—Miguel nunca tuvo carnet del partido comunista. Fue comisario político, pero poco tiempo. Él lo que quería era ayudar a los pobres, a los que no tenían nada. Y escribir sus poesías.

—*¿Su hijo Miguel estudió con los jesuitas?*

—Sí. No sé qué habría dicho Miguel, pero recuerdo que cuando tuvimos el primer hijo, el que se murió de diez meses, le dije: "Mira que si le diera por ser cura..." Y él me contestó que si fuera su vocación, pues muy bien.

—*¿Qué siente al leer esa enorme poesía amorosa que Miguel le dedicó?*

—No tengo orgullo por eso. Quería el amor de él y esa realidad era la poesía más grande del mundo. Después me concentré en la pena más que en otra cosa. Sé que con las penas él se fue al otro mundo. Eso lo sé. Muchas veces pienso que tuvo la desgracia de conocerme a mí, de que yo fuera un poquito rara, de no querer que me rozara, hasta esa desgracia tuvo, pobrecillo. Él me escribía desde Madrid diciéndome que no era extraño ver allí una pareja tendida en las plazas o en el campo, besándose y esas cosas, pero yo no le contestaba a eso... Eran otras costumbres, los consejos de las madres. Se dijo que tuvo otra novia, pero no. Estuvimos seis meses peleados y él iba a reuniones con Neruda, pero cuando me escribió me dijo que había tenido una experiencia muy grande y que mujeres como yo había pocas, o algo así. La verdad es que a pesar de mis razones, le gustaba como era. ¿Escucha usted? Son mis palomos. Son muy miedosos. Quedan pocos allí en el balcón. No puedo salir al sol a verlos, pero los oigo. Debo permanecer en la penumbra que tengo aquí. No los puedo atender como antes.

—*Josefina, ¿cuál es el poema de Miguel que más la acompaña?*

—No sé distinguir, creo que todos. Me hace sufrir mucho todo lo que ha escrito. Los de "La luz y la sombra", todo lo que escribió después de casarnos... todo.

—*¿Y qué versos recordaría, de viva voz, en este instante?*

—Pues aquel final donde estamos tan juntos. El que concluye diciendo: "Y al fin en un océano de irremediables huesos / tu corazón y el mío naufragaron / quedando una mujer y un hombre / borrados por los besos."

129

JUAN ANDRALIS

UN GRIEGO QUE AMABA A LA GARAMOND

En el invierno de 1993 acosé a Juan Andralis hasta conseguir que se sentara delante de un micrófono. Tratándose de un insomne terminal pidió hacerlo de noche y en su catacumba tipográfica de Mario Bravo 441. Un loft en bruto en donde invisibles ratas, casi letradas, comían su edición príncipe de *El Congreso* de Borges. Una impresora tan reluciente como viuda suiza servía de territorio a un gato neutral. Asomando entre los flecos de un afiche, Federico Peralta Ramos daba su póstumo guiño al caos. En su capilla tipográfica, Andralis parecía feliz: inmenso paisaje interior, memoria oceánica, humor afiladísimo. Había cruzado los setenta años sin ser vencido por la costumbre. Hombre de escuchar con punta de barba en mano y de responder sereno, ejercía el asombro perpetuo. Y la sonrisa en acto. Un personaje hecho de azúcar. A veces negra.

(Una vez más me preguntó si tenía algún sentido la ceremonia de hablar sobre la ilusión absurda que es toda vida. En este caso, la suya. Le respondió el alarido de un automóvil con escape abierto. Esto lo hizo hablar.)

—¿Qué raro es el mundo, no?
—*¿El automóvil o la imprenta?*
—El automóvil es absolutamente extraño para mí. También se habla de la muerte de la imprenta. La artesanal va a tener larga vida. Siempre habrá quien bautice un chico, una pareja que se casa, alguien que necesite una tarjetita o su primer librito de poemas. Lo que me atrae, y es un enigma para mí, es el libro. El deseo de hacerlos me nació de pequeño, al entrar a una imprenta

del Abasto en la que hacían facturas. Me quedé horas y recibí una enorme paliza pues creyeron que me había perdido. Ya adolescente fabricaba libros escritos a mano y abrochados. Era una verdadera pulsión... De la imprenta me fascinó el ver que las hojas de lo blanco pasaban a lo impreso. Que se repetía y se repetía y que era siempre la misma.

—*Empecemos por Grecia, ¿no? Ese apellido suena bien...*

—Mi abuelo era de la isla de Andros... que significa hombre en griego. Yo soy del Pireo, soy uno de los niños del Pireo. Mis padres, que sobrevivieron a las masacres turcas, eran del Asia Menor y fueron retrocediendo, hasta afincarse allí. Aquí el patronímico no deriva de la profesión sino del lugar. Y mi lugar pronto fue otro. Con cinco años, salí hacia Buenos Aires y recién aquí conocí a mi padre pues él vino antes de que yo naciera. Aquí vivía un tío llegado en 1913. Fue el que avisó que existía un lugar donde no había guerras, se podía trabajar, vivir y que era América. Este tío saca un pasaje para América y se embarca. Y le pasan cosas. En griego, como en castellano, se dice Norteamérica y Sudamérica, pero para los europeos América es por antonomasia Norteamérica. Toma el barco, llega acá y lo hospedan en el "Hotel de Inmigrantes". Y como le costaba el idioma salía para adaptarse. Así es que escucha a un marinero injuriar en griego. Se abrazan, beben y él confiesa sus problemas por no conocer el inglés. El marinero le aclara que lo que oía no era inglés, sino español. Así es como se entera de que está en Sudamérica. Durante semanas, este tío pionero creyó estar viviendo en Nueva York.

—*En una ciudad utópica: Buenos Aires de Norteamérica. Vaya que es mágica Buenos Aires...*

—Este país es poético. Con gente que dice "Estamos mal pero seguimos comiendo. Tenemos un país genial". ¿Cómo se entiende esto? Aún en las malas tiene algo benigno. Salvo el episodio horrible de la última dictadura, algo que nadie jamás sospechó que pudiera suceder aquí. Una forma extraterrestre de nazis, fuera de contexto, inexplicable.

—*Esperemos que también sea inolvidable. Salís del Pireo...*

—En el "Alcántara". Yo creía que era un paseo pero de pronto mi abuelo que me llevaba en brazos empieza a llorar y los demás también. Una verdadera tragedia griega. Mi madre tenía veintidós años. La última escena es ella que me toma de brazos de mi abuelo. Tiró, tiró hasta que me separó. Tres días después yo seguía llorando en el barco. Algo terrible había pasado. Y de esos brazos pasé a unos brazos desconocidos, los de mi padre, que me recibió aquí. Si mi madre me lo anticipó, no me enteré. Lo cierto es que me esperó alguien que me iba a tirar por el aire y abrazar y volverme a besar y darme cosas y apretarme. Lloré de susto. Y mi madre, tratando de calmarme, me dijo: "Es tu padre".

—*En medio de esta congoja llegaba un chico que hablaba griego. ¿Cómo te adaptaste al idioma?*

—Mi padre, en una pizarrita negra, me lo enseñó. Después, con un gran paquete de frutas, sobornó a una directora para que yo pudiera ingresar a la primaria antes de la edad. Me hizo leer delante de ella un editorial del diario La Prensa. Eso la convenció. Además dije algo en griego y ella preguntó: "¿Qué está diciendo el chico?" Y él: "Pregunta quién es el de la fotografía". Era Sarmiento.

—*¿Cómo te llamaban los chicos del barrio, ¿ "Che, Juan"? ¿ "Che, griego"?*

—Invariablemente: Che, griego. No era líder pero intervenía. Siempre había un grandote que me defendía pues ya de chiquito era muy polémico. En sexto grado tenía endilgado el mote de filósofo.

—*¿Qué te intrigaba más, una puesta de sol o el dos más dos igual a cuatro?*

—El dos y dos cuatro a veces no es cierto. La puesta de sol, sí. Yo la conocí en el Mediterráneo y hay magia grande allí. Desde joven fue el arte el que marcó mi vida. Pese a que llevo cuarenta años sin pintar he seguido pintando todos los días. Siempre pienso como pintor. Veo el mundo con la misma curiosidad del pintor. Empecé con colores y pincel, a los dieciocho. Ver una exposición de Batlle Planas llamada "Los mecanismos del número", constituyó uno de los grandes momentos de mi vida. El surrealismo me perturbó tanto que fui a conocerlo para estudiar con él. Pero pronto vendría la época dura de "Alpargatas sí, libros no". Una política que tendía a hostigar al estudiantado. Me cansé y decidí irme a París. Venía leyendo mucho material surrealista. Sobre todo, un libro de Juan Larrea, *Surrealismo entre viejo y nuevo mundo*, historia de ficción en forma de ensayo. Ya en París, conocí a André Breton. Con Benjamin Péret mantuve un trato muy cercano, casi compinche. Su personalidad se prestaba y además conocía español por haber vivido en México. Le di a leer a Macedonio Fernández, pues llevé todos sus libros para ver si los podía hacer traducir y publicar. Al poco tiempo Péret me dijo: "No entiendo. ¿Qué es esto? ¿Es un metafísico, un cómico, un humorista? ¿Qué es?" No había entendido. El sistema de escritura de Macedonio, eso que Ramón Gómez de la Serna llamaba "la voluta" (en una carta le dice a Macedonio: "Usted es el inventor de un género que es la voluta"), se le escapaba a Péret por su escaso conocimiento del castellano.

—*¿Qué motivó el surgimiento tan fantástico y provocador del surrealismo?*

—No creo demasiado en el linaje dadá-surrealismo. En la historia del arte se lo pone al surrealismo como una excrecencia de dadá, como parido por dadá. Y dadá era dadá contra todo. Fue durante la guerra y la propuesta básica de dadá era la abolición de toda la historia, de la historia del arte y de la historia. Hacer tabla rasa, a partir de una máquina infernal que ellos manejaban como nadie, que es el humor.

—*¿Cómo recordás a Tristán Tzara?*

—Muy discreto y muy bajito. Parecía el profesor loco de la

136

escuela secundaria; abismado en sus cosas. Con un lado macarrónico, esa gracia natural que tienen los personajes de la Europa Central. Jugábamos casi todos los días al ajedrez. Tzara poseía un aura, una comicidad patética. No es la que busca el efecto, sino la que es propia de la persona. Una impronta, un estilo. Aunque este hombre tan irreverente, tan iconoclasta, cuando se sentaba delante de un alfil, respetaba las leyes del ajedrez y ahí no hacía chistes. Aunque lo cómico es que quería ganar a toda costa, como un jugador bisoño. Jugaba regularmente (basta decirte que yo le ganaba más a menudo que él a mí). Nada parecido a Marcel Duchamp, que era un ajedrecista de torneos y representó al equipo olímpico cuando se fundó la Federación Internacional de Ajedrez en el año veinticuatro.

—*Dado que sos un surrealista histórico, ¿qué es ser surrealista?*

—Ser surrealista es tener un pie en el sueño y el otro en el asfalto, en la barricada, la calle. Un pie en la realidad cotidiana, política, y el otro en el mundo en el que vivimos cuando nos quedamos solos en el sueño. El esfuerzo de unir sueño y suelo, muy suscintamente puede identificar al surrealismo. Hoy se usa la palabra como sinónimo de disparate. Ignoro la razón. Debe ser que la imaginería que propuso el surrealismo perturbó tanto lo que estaba en uso que quedó mal señalizado.

—*¿Y por qué en un contexto tan afín y deseado dejás de pintar?*

—Pinté durante dos años hasta que un día, en un taller prestado, frente al cementerio de Montparnasse, estando solo, me sucedió un evento paranormal que me asustó muchísimo. Era una época de mi vida signada por la alquimia. Indagaba a través de la lectura de una obra de Fulcanelli que se llama *Las moradas filosofales*. Iba a la Biblioteca Nacional y copiaba libros alquímicos del siglo XVI y del siglo XVII. Esto se unió a un viaje mío, en 1959, al Monte Atos, el más antiguo lugar religioso de Grecia.

Algo así como Lhasa, la capital del Tíbet. Un lugar alto, digamos, entre comillas, "un alto lugar". Casi una isla. Una península donde termina el mapa de Grecia con la forma de tres dedos gigantes sobre el mar. El último dedo, el que mira hacia Constantinopla, es el Monte Athos. Un espacio con veinte monasterios, pinturas en murales al aire libre, frescos extraordinarios. Los Picasso del año mil cien. Algo formidable, un pre Guernica, una especie de bomba atómica, cosas que estallan y tumbas que se abren, humanos que corren, animales, algo apocalíptico. Todo en ocres y azules, nada más. De una modernidad espectacular. Pasé un día en cada uno de ellos, viendo los tesoros de Bizancio, del cristianismo primitivo. Y allí comprendí para siempre cómo funciona el símbolo. Mis diálogos con el prior del monasterio de Dionisios resultaron decisivos. Fui a encontrar "la philocalia". La philocalia es la oración silenciosa, la oración del corazón. Esto sucedió en medio de mi investigación alquímica y en medio de una crisis de indefinible origen. No me daba respiro. Y regresé a París.

—*Esta imagen en el café de Place Blanche en 1953, es la última fotografía histórica del grupo... Están André Breton, naturalmente, y Max Ernst, Alberto Giacometti, Man Ray, Benjamin Péret, en la primera fila, como les corresponde por fundadores, y rodeándolos, los de la nueva generación, entre ellos vos, con barba y ojos fosforescentes...*

—En esta foto hay una argentina, Sara Sluger, que trabajó en Radio Municipal y fue la compañera del pintor Wilfredo Lam.

—*¿Para ingresar al surrealismo había que pasar algún examen?*

—No, simplemente había que haber hablado con Breton.

—*¿Qué era hablar con Breton?*

—Una suerte de entrevista como ceremonia de iniciación. Me maravilló encontrar en el hombre Breton el eco de los textos que había leído. Él tendría sesenta años. Un gran seductor, afable, hospitalario. Mostraba inquietud por la Argentina, de la que estaba al tanto por cartearse con Aldo Pellegrini. Muy interesado en dos libros que acababan de salir en francés y tenía sobre el escritorio. Uno era *Voces*, de Antonio Porchia, y el otro, el primero de Borges en francés, que tenía un nombre que no correspondía a ninguno de los títulos en castellano; se llamaba *Laberynthe*, título, sin duda, con más gancho en francés. Le tuve que hablar largamente de Borges, del cual yo era un lector fanático, y de Porchia, quien no me merecía mucha estima. Breton encontraba más profundos los aforismos de Porchia que los textos de Borges. Luego pidió ver mis cuadros, los aprobó y me invitó a mostrarlos en una galería que se abría. En días me encontré exponiendo junto a pintores que sólo conocía por libros: Max Ernst, De Chirico, Miró. También había una obra de Man Ray que ha sido muy reproducida, "La plancha con las tachuelas", y otra, con un toque dadá: marco ovalado y círculo brillante en el centro que reflejaba vagamente los rasgos del curioso de turno que acercara su rostro. El título era todo: "Autorretrato de un imbécil". Próximo al mío había un ready made de Marcel Duchamp, llamado "Pharmacie".

—*¿Cómo se llamaba tu cuadro?*

—"Nacimiento de un ícono". En témpera, porque era lo más fácil y accesible para mí. No tenía taller y trabajaba en mi habitación. Es difícil contar un cuadro pero puedo decir que había un personaje sentado y otro que emergía de algo que era como la forma de un huevo y la mano de un personaje con un estilete que se acercaba a esa forma ovalada. Una rara atmósfera. Trajo lo suyo ese cuadro. Una persona quiso comprarlo junto con una obra de Max Ernst. La dueña de la galería me preguntó el precio y respondí que ni soñaba venderlo pues estaba encariñado con ese trabajo. Ella se lo contó a Breton quien me llamó, me llevó al bar y me dio un sermón. Que yo no tenía derecho a interrumpir la circulación de mi obra, que desde un punto de vista metafísico —y me sorprendió esa palabra—no tenía derecho a hacer eso, que el exponer era una responsabilidad, un acto social que implicaba consecuencias, que no me creyera que era un niñito que venía de Buenos Aires a mostrar su cuadrito y se lo llevaba a su casa. "Cuando el artista la termina y la manda fuera de su taller, ya está, pertenece al mundo. El dinero está ahí para facilitar la situación, para favorecer ese intercambio." Y agregó: "La persona que se queda con ese cuadro, cuando lo mira lo va modificando". Duchamp, sostenía lo mismo: al cuadro lo hacen los que él llamaba: "Les regardeurs". Los que miran, los miradores. El artista propone. El que mira, completa.

—*En ese tiempo habrás registrado también el terremoto Artaud por su emisión radial de "Para terminar con el juicio de Dios"...*

—Fue una conmoción. A Artaud lo acompañaban en esa grabación María Casares, Roger Blin, muy ligado al surrealismo, quien sería después el metteur en scéne de las piezas de Beckett y Jean Genet, y también Paulette Thevenin, amiga de Artaud que lo asistió después de salir del Asilo de Rodhez. Él sobrevivió dos años. Lo cuidaba un médico muy especial, Delmas, que atendía también a la hija de Joyce. A propósito Beckett cuenta algo muy interesante. Le habían imputado la internación, o al menos, el desequilibrio que sufrió la hija de Joyce. La historia es más o menos así: él iba a verlo todos los días hasta que llegaron a pensar que era su secretario. Él declaró que lo ayudaba a escribir "Finnegans Wake", porque como Joyce estaba casi ciego tenía que dictarle a Beckett... Es un poco la misma historia de Borges, al que había que leerle. Beckett iba todos los días y la chica Joyce creía que él iba a la casa a verla a ella. Una tarde ella le pidió hablar y le dijo que entendía que él estuviera enamorado de ella y que lo aceptaba. Y Beckett, te imaginás, totalmente asombrado... le dijo que él venía a verlo al padre, que sus visitas respondían a otro interés. Ella se quebró y hubo que internarla rápidamente. Esto es una digresión. En conclusión, durante esta época Artaud vivía en la clínica. Tenía libre acceso, entraba y salía.

—*Decís "clínica", pero en verdad se trataba del "loquero de Ivry".*

—Sí, en el que Artaud tenía la llave de la reja, libertad de movimientos, un régimen especial. Sucedió con esa grabación que el director de la radio, Vladimir Porchaix, supo de ella por "Combat", que dirigía Albert Camus. Pidió escucharla y dijo no, esto no pasa. El escándalo se armó por su acto de censura. El mito Artaud, el aura que lo rodeaba, los jóvenes que lo seguían y la expectativa producida, hicieron lo demás. El clamor que provocó la prensa hizo que se formara un jury de cincuenta personalidades entre ellas un dominico, escritores, pintores, en fin, la flor y nata de la intelectualidad de posguerra. Porchaix declaró que atendería el veredicto pero reservándose el derecho de veto. El jurado estimó por unanimidad que era una pieza muy importante y que debía ser transmitida y Porchaix no lo permitió. Fue grabada pero no emitida y allí nomás se empezó a preparar la edición del libro, que Artaud no llegó a ver publicado pues murió al mes. Ése es el último texto de Artaud.

—*¿Ya se hablaba del Teatro de la Crueldad?*

—No, que recuerde. En esa década el término imperante era Teatro del Absurdo. Cuatro años después de la muerte de Artaud, un amigo irlandés me dijo: "Hay un escritor que nadie conoce, que es irlandés y escribió un par de novelas, nadie sabe bien quién es, pero lo suyo va a dar que hablar por mucho tiempo". Así fue que asistí en una pequeña sala, a la premier mundial de "Esperando a Godot". Serían unas trescientas personas, la mayoría provincianos que iban a la estación de Montparnasse y, como el teatro estaba ahí, entraban a pasar el rato.

—*¿Qué sucedió contigo y ese texto de Artaud?*

—Pasé años traduciéndolo, incluso guardé la forma tipográfica. En tiempos peligrosos debí desembarazarme de las pruebas de imprenta. El texto corregido me llevó más de cinco años. Al final me resigné: hice el duelo, destruí los papeles, devolví el plomo, que volvió a convertirse en magma... Es que se trata de un texto sulfúrico, muy fuerte, contra todos los poderes, encarnados en el máximo de Dios. Es un embate nietzscheano de Artaud contra esa palabra, Dios, que resume toda la cultura humana. Cuatro letras que buscan enderezar al hombre mediante la represión. Contra eso sale Artaud, con lenguaje crudo, visceral, violentísimo, a través de la voz y de los instrumentos, el xilofón, el tambor. Artaud lo llamaba el Teatro de la Crueldad y lo estrenó en esa tentativa de puesta en escena, en la lectura del texto para la radiofonía. María Casares me dijo que Artaud parecía transfigurado. Ya se estaba muriendo y tenía una máscara inquietante. Esto se ve en sus últimas fotografías. Impactaba. Se había convertido en una llama. Abel Gance me dijo: En la película "Savonarola", en la que Artaud hace de Savonarola, cuando está en la hoguera, como se dice en francés... "Il creve l'écran", él revienta, atraviesa la pantalla.

—*Como cuando hizo de sacerdote en "La Pasión de Juana de Arco" de Dreyer...*

—Claro, como confesor de Juana de Arco. También trabajó con Georg Pabst en "La opera de dos centavos". Es un momento y es un rayo. Le dan un traje de pordiosero para que salga a provocar la compasión y pedir limosna, pues es una empresa que regentea el patrón de los mendigos de Londres. Él pide trabajo allí pues no sabe hacer otra cosa. La escena es breve pero enorme: le dan el traje y la muleta, se mira en el espejo y larga un gemido terrible. La experiencia de Artaud le trajo un nuevo aire al teatro. O se lo quitó. Confieso que en mi caso la experiencia me ha llevado a la necesidad de asistir a un teatro "pirandelliano", un teatro de dramaturgia. Para mí los gritos, los rituales, se han vaciado un poco de contenido. Necesito el teatro de texto. Los autores, de todos modos, ya han modificado la forma. Antes sólo se sabía hablar. Como decía Artaud: "Ya nadie sabe gritar". Ahora los actores ya saben gritar.

—*¿Y cuándo este surrealista activo vuelve a pensar en Buenos Aires?*

—Medió una situación familiar: la enfermedad de mi padre. Ingresé en el Instituto Di Tella, a trabajar con Juan Carlos Distéfano, que era "la gráfica" del Di Tella. Un dotado. Lo que se llama en francés, un gran patrón de la gráfica. Y luego, un talentoso plástico. Uno de los primeros, si no el primer escultor argentino. También me reencontré con Aldo Pellegrini. El Di Tella fue un centro fabuloso. Un Pompidou antes del Pompidou. La caja de resonancia donde cobraba volumen el deseo de expresarse de toda una generación.

—*De la galaxia Gutenberg, ¿qué familia de letras sentís más afín?*

—Garamond, una tipografía inmortal del siglo XVI. Por su gracilidad, elegancia, estilo. Es como el Partenón de los tipos de imprenta. Más tarde llega una versión inglesa llamada Baskerville por su autor, un amateur, que ni siquiera fue un hombre de imprenta. Un bibliófilo que gustaba investigar y preparar pastas de papel. Este amateur dibujó el tipo que está calificado como el más legible de todos. Un amateur de genio, evidentemente. Luego, la Bodoni, que trae la modernidad, los distintos grosores, los alfabetos para títulos grandes, las afichetas. Las anteriores eran sólo para libros. Garamond fue el tipo del siglo XVI y Baskerville del XVIII. Casi todos los que leyeron y estudiaron en el XIX, lo hicieron en Bodoni. En el XX la más vista y leída es la Helvética. La historia de la tipografía está en estos cuatro alfabetos.

—*¿Con qué tipo de letra editarías el monólogo de Hamlet?*

—Baskerville. En tipografía uno elige según el área cultural a la cual corresponde el texto. Yo usaría Baskerville.

—*¿Para el Apocalipsis?*

—El Apocalipsis de Juan de Patmos es uno de los más grandes poemas que han sido escritos. Significa "revelación". A la palabra apocalipsis se la identifica con lo espantoso porque lo que ese texto revela es el espanto. Elegiría una letra muy moderna, una Helvética negra o una Helvética condensada. Para un texto de Artaud elegí una condensada, la Trade Gothic, variante algo más estrecha que el ojo normal de la Helvética.

—*¿Y de editar el Artículo 14 de la Constitución?*

—Una tipografía hecha con luz y con sangre. Me gustaría poner en página al artículo 14. Con su texto me pasa lo que con el Himno Nacional en la versión Charly García. Me pone la carne de gallina. Es idiota, pero es así. No soy de lágrima fácil, pero cuando dice: "Y los libres del mundo responden, al gran pueblo argentino salud", al llegar a "salud", ya tengo los ojos húmedos.

—*¿Las letras tienen temperamento?*

—Sí, claro, cada letra tiene un ánima. Hay una bella frase de Lichtenberg: "Me gusta sorprender a las palabras en la intimidad de sus acepciones". Como diseñador confieso que me gusta sorprender a las letras en la intimidad de su formulación gráfica.

—*¿Y cuál es la letra más tierna, Juan Andralis?*

—No sé decirte así a quemarropa, pero la más mimosa, sin duda es la "g" minúscula.

—*gracias, entonces.*

144

JOSÉ PLAJA

EL ÚLTIMO SECRETARIO DE GARDEL

La primera vez que escuché decir "Carlos Gardel" fue en 1940, a diez años de mi vida y cinco de su muerte. Mi abuelo desgranaba cuentos mientras "el zorzal criollo" sonaba melodioso desde una radio con "ojo mágico" que parecía un medio huevo.

—Cuando yo era chico se decía que un día los muertos iban a hablar. Yo me reía y fijate vos...

—¿Fijate qué, abuelo? Si no hablan...

—¿Ah, no? ¿Y Gardel? ¿No lo escuchás?

Lo escuché toda la vida. Un día, en Barcelona, el rumbero Xavier Cugat me susurró la sospecha de que aún resistía, oculto, el último testigo de lo sucedido en Medellín: el secretario privado de Gardel. Tenía el nombre de la ciudad (La Bisbal, no lejos de Andorra) pero no estaba seguro de que aún estuviese vivo. Un mes después pude ir. La paciencia, una pesquisa de manual y unos testigos singulares me abrieron el camino hacia la persona de José Plaja.

"Sé por otros que Joe tuvo el accidente con Gardel en ese avión. Es un hombre de más de ochenta años y muy deformado. Le faltan las dos manos. Sé que le cambiaron la piel de la cara. Para no estar tan desfigurado le hicieron muchas operaciones. Estuvo cinco años ciego. Le pusieron la piel nueva. No sé con quién vive, si solo o no. Está casi siempre metido en su casa. A veces va a una reunión de amigos. Le gusta hablar y lo hace muy bien. Es un hombre de lecturas, muy culto. Bebe como un joven y fuma mucho. Tiene un aparato para fumar y pese a los muñones se arregla bien para hacerlo. Pone el cigarro y él mismo lo enciende." *(Juan Rabane, camionero, cincuenta y cuatro años, vive a un kilómetro, en otro pueblo.)*

"Nosotros le decimos Joe, tipo americano, pero se llama José. Se fue a América a los dieciocho años. Su familia estaba muy bien pero él quería hacer su vida, su aventura. En Norteamérica los negocios le fueron mal y le salió esto con Gardel. Trabó amistad por eso del cine y después se quedó de secretario particular. Después del accidente lo llevaron a Miami para la recuperación. Perdió las manos, se le desfiguró la cara, estuvo ciego y luego lo operó el doctor Castroviejo varias veces. Ahora lee y mucho, aunque con dificultad. No, no es un hombre de dinero. Gasta poco, come poquísimo. Alguna copita, eso le gusta. Le quisieron pagar para que escribiera sus memorias pero se negó. Tras la desgracia se retiró del mundo y no quiso hablar más con la prensa. Su familia tampoco. Lo cuidan sus sobrinas. Él tuvo dos hermanos. La familia le ha ido retirando los recuerdos que había en la casa, pero él tiene una memoria prodigiosa. Es soltero, nunca tuvo hijos. Las sobrinas son maestras y se encargan de que no le falte nada. Lo cuidan bien. Viven en el piso de al lado. En su casa hay además una mujer que le hace la comida y le lava la ropa. Le gusta hablar de sus cosas de América, de política, es muy informado. De una educación sensacional. Muy correcto." *(Sebastián Viñals, relojero, vecino de La Bisbal.)*

"Pertenecía a la compañía de Gardel. Iba en el avión como secretario y profesor de inglés. Todavía enseña inglés. Tiene un alumno que se llama Mascarreras. Es un hombre que, usted lo verá, quedó destrozado. Lo ha salvado su espíritu. Le colocaron orejas de plástico y la nariz está recompuesta con injertos tomados de la piel del brazo. Se recuperó físicamente y hasta hace unos años todavía nadaba y lo hacía bien. De Estados Unidos regresó en 1942 y se quedó aquí, lejos del mundo. Es un hombre perfectamente elegante pese a su desfiguración. Siempre le ha gustado vestir impecable. Sí que habla de tango, aunque ahora no tanto. Diez años atrás, si de pronto en el café alguno lo entonaba, él enseguida se acoplaba y con buen ritmo. Viene cada tanto al café. Lo acompaña su sobrina o el alumno o algún mozo de este café, que cuando él nos lo pide, lo va a buscar." *(Manoel Llach, encargado de la Cafetería "El soportal".)*

"No, no usa muletas. Pero anda mal de la vista y hay que ayudarlo a cruzar la calle. Se queda una hora, se toma su aperitivo y después se va a cenar. El resto del día lo dedica a leer. Yo estuve alguna vez en su casa. Normal, bien puesta. Tiene todo preparado para ayudarse solo. Como no tiene manos se ha hecho práctico en abrir un armario o encender la luz. Lo recuperaron bien. Él mismo saca el pañuelo y se suena la nariz. Cuando cena en el restaurante conmueve: se pone como unas gomas en los muñones, unas ligas, allí coloca el tenedor, le traen la carne cortada y se alimenta sin problemas. Ya le digo, lo podrán ver, pero no habla. Sólo lo hace con sus amigos. No quiere saber nada de periodistas. Hace veinte años vino uno de Venezuela y se tuvo que ir. Suele decir que él murió en el accidente, que lo que vino después no fue vida... pero tiene un gran optimismo, ¿eh? Es un ejemplo de alegría, de entusiasmo. Un ser muy particular. Muy catalán y además muy liberal. Su personalidad es fenomenal, si tuviera suerte y pudiera hablar algo con él... tal vez si se contacta con su alumno Mascarreras. Yo tengo un hermano que vive en San Francisco y él me ha dicho que Joe habla un inglés perfecto." *(Carlos Alberti, comerciante, cincuenta y siete años, vive a tres cuadras, en el mismo pueblo.)*

"Su nombre verdadero es Josep Plaja I Gasch. En español siempre se escribió José Plaja. Íntimamente le decimos Joe, porque así le gusta. Es difícil de entrevistar. Hace muchos años vinieron de Colombia y de Venezuela pero no lo supieron tratar. Todo forzado y él no acepta eso. Con él hay que ir despacio, quiere conocer a la persona. Es difícil que tenga suerte. Debería quedarse un tiempo, venir por aquí, hacerse amigo. Le gustan las copas. Dice que el alcohol le ayuda a pasar la vida. Era un hombre alto, elegante, y de pronto quedarse así... Hay que comprenderlo. Joe es cultísimo, con gran facilidad de palabra. Además valiente y muy fuerte. Ni se imagina cómo fuma y cómo bebe ahora mismo a los ochenta y un años. Nunca tiene ni un mínimo malestar. Hasta hace poco tomaba por la mañana unos cinco campari con ginebra, a la tarde dos bitter con campari, y así, y siempre bien. Él se fue de aquí porque era inquieto. Su familia era rica, no se trataba del inmigrante que se marcha pobre. Se fue en 1918, trabajó hoy aquí, hoy allá, hasta que se conocieron con Gardel. Tiene mil historias y las conozco porque desde que llegó no pasa semana sin que hablemos tres o cuatro veces. Usted sabe lo que es un pueblo. Son treinta y tantos años de hablar con él. A veces lo desafío y le digo que comience a contar algo que yo se lo termino. Casi siempre le gano y él se ríe. Me quiere mucho. Le contaré de usted. Me tendrá que esperar, darse una vuelta mañana, vamos a ver. Ir con prisa lo estropearía todo. Soy su amigo y sin embargo cuando se toca el tema de por qué este ocultamiento, este no hablar, él lo corta enseguida. Y se emociona mucho. En los años que siguieron al accidente le dolieron mucho las historietas falsas y disparates que se escribieron: que Gardel estaba vivo, que si tenía un hijo, incluso se llegó a escribir que Joe era Gardel desfigurado, cuando por las medallas que llevaba se supo enseguida cuál era el cadáver de Gardel. Joe es un hombre a carta cabal, muy fino. Todas esas habladurías le hicieron mucho daño. Por eso se refugió en los libros. Debiera ver el sacrificio: se pone un atril, lee una línea y tiene que hacer una pausa porque los ojos los tiene mal. Está suscripto y tiene la colección entera del National Geographic, novelas, historias de países. Está inscripto a la Biblioteca Ambulante del Instituto Norteamericano que le remite libros cada tanto. Fuma tres o cuatro paquetes de rubios por día. Dinero no tiene. Todo lo ha vendido, le queda una pequeña pensión. Bueno, yo iré a ver qué sucede. Le explicaré bien quién es usted... ¿Cuántos son ustedes? Ah, no, ni hablar de fotógrafo. Usted se imagina bien por qué. Uno solo. Usted. Espéreme. (Pasa media hora.) Bueno, hablé con Joe. Primero dijo que nada de nada. Que diga qué él se olvidó de todo, que los psiquiatras le prohíben hablar de todo eso. "Será un periodista que ha venido a veranear aquí y como no sabe qué hacer...", comentó. Le dije que yo le tenía confianza entonces examinó su apellido y comentó "Debe ser hijo de eslavos... pero a ver si este argentino resulta como aquellos venezolanos..." Pero bueno, hay una posibilidad de que usted hable con él. Joe vendrá mañana a las seis aquí. Veremos qué pasa. Según esté de ánimo así le caerá usted. Yo le introduciré. Usted vaya lento al principio. Está muy escamado. Usted despacio. Nada de bocajarro, ni grabador, nada de eso, porque se le cerrará. Y si ve al fotógrafo lo más probable es que arme un escándalo. Es un hombre muy digno, no le gustan las trampas. No lo mandará a paseo porque es muy educado, pero se sabrá defender de algo así. Y aquí lo quieren mucho. En cambio si siente que usted es serio, le irá bien. ¿Comprendido? Y cuidado con el fotógrafo. Cuando usted lo vea a Joe sabrá por qué se lo digo. Aquí estamos acostumbrados a verlo y para nosotros él tiene su cara como cualquier persona, no nos impresiona como a los de afuera. A mí menos porque lo quiero. Para mí Joe tiene una cara muy buena. Una hermosa cara..." *(Carlos Joves, imprentero, cincuenta y uno, amigo personal, vive a cuatro casas, en la misma calle.)*

—Nací en octubre de 1900, aquí en Cataluña y me fui a Nueva York a los diecinueve años. Estaba algo enfadado con mi padre. Había estudiado inglés, comercio, un poco de francés, carrera ninguna. Entré en el departamento español de un banco (El Lionello Perera Company) en el 63 de Wall Street. Éramos seis empleados, todos americanos, excepto yo. Estuve allí cinco años y llegué a ser jefe. Me cansé y quise ser importador. Tenía de amigo al cónsul español en Nueva York y me puse a importar corcho aglomerado de España. Planchas quemadas, corcho aislante. Es esos años, allá por 1925, importé de todo. También pistolas españolas Eibar. Mis clientes me escribían felicitándome porque habían querido matar a alguno en un arranque de furor y esas pistolas no funcionaban bien. Fallaban mucho y me lo agradecían porque se habían salvado de ser asesinos.

—*Vida fácil...*

—No, que va. Pero resulta que yo me llevaba bien con el aforismo yanqui que dice que para triunfar en la vida se debe tener una buena derecha y ser un buen bailarín. Y eso lo hacía muy bien. Lo de la importación iba bien hasta que llegaron esos sinvergüenzas del Partido Republicano que ahora ganaron y pusieron una muralla arancelaria a todo: al cristal que venía de Checoslovaquia, a los cueros de Argentina y a mi corcho que traía de España. Me arruinaron y fui a protestar ante los senadores de ese tiempo. No hubo nada que hacer y tuvimos que liquidar. Quedé desocupado, fui a vivir a casa de la suegra de mi hermano, que se casó con una americana en Connecticut. Pero me canso de estar allí y le digo a mi hermano de volvernos. Otra vez aquí no pude adaptarme a la vida social catalana y salí de nuevo para Nueva York. Hice de todo, hasta mozo de limonada. ¿Sabe usted qué es eso?

—*No.*

—Es aquel camarero que sólo sirve licores. Yo no quería servir platos. Allí me encuentra un amigo que me lleva de traductor a Exito Productions, en Long Island, no muy lejos de Manhattan, yo diría que hay algo así como media hora de subte. Allí traduzco letras y comunicados. Y a veces hacía de puente para que los técnicos de las películas que no entendían una papa de castellano pudieran comunicarse con gente que como Gardel, Le Pera, Moreno, no sabían una papa de inglés. De ese trabajo me pasaban a un bus, a un quiosco donde estaba el ingeniero de sonido. Este vigilaba el volumen y yo si los diálogos eran los correctos. Tras la toma el director preguntaba: "Is it okey for the sound?" (¿Está bien el sonido?) o en mi caso "Is it okey for the dialogue?" (¿Está bien el diálogo?) y le respondía "Yes or no", según.

—¿*Y cómo conoce a Gardel?*

—Me lo presentó el productor Bob Snowdy. Gardel era de un nivel superior, yo era el último mono del asunto. También me presenta en ese momento a Alfredo Le Pera y a Vicente Padula que era el número dos de Argentina. Snowdy me dijo que sirviera al equipo de Gardel aunque me recalcó que yo era asalariado de Exito Productions, igual que Gardel lo era, pero quien me abonaría el sueldo sería Snowdy. Hubo luego un problema con Snowdy, trajo un sustituto que no anduvo y me volvieron a llamar. Del quinto piso pasé entonces directamente al plató, al estudio, al set.

—¿*De traductor pasó a extra?*

—A veces lo hice. Cada vez que tocaba la guitarra, bueno, que fingía ser guitarrista, porque las cuerdas venían bloqueadas me pagaban cincuenta dólares. Y cuando ayudaba con algunas letras me daban setenta y cinco. Sí, extra sí, pero nada más. El director me decía que no servía para actor, que todo lo hacía muy dramático.

—¿*A cuántas películas asistió usted?*

—Estuve en las cuatro. Las dos que dirigió el francés Louis Gasnier ("Cuesta abajo" y "El tango en Broadway") y las dos de John Reinhardt ("Tango Bar" y "El día que me quieras"). En "Cuesta Abajo" aparezco en una escena muy trivial: hay un tablado con un piano y tres guitarristas con los instrumentos trabados. El pianista es Bob Snowdy y yo, un guitarrista que está al lado de Gardel. Carlos ingresa furioso pues acaba de tener un altercado con su novia (una actriz anónima que no había llegado a vedette todavía) y viéndolo exaltado yo le digo a Gardel: "Acosta, usted no debe cantar esta noche". Y la contestación de él es: "Cómo que no, si esta noche es mía". Y allí es donde canta "Si arrastré por este mundo la vergüenza de haber sido (lo canta... tararea la música)... una lágrima asomada yo no pude contener (se ríe).

—*Cuénteme otra...*

—En ésta estaba Rosita Moreno. Esa vez falla el hombre que debía hacer de maestro de baile y me ponen a mí. La escena es muy bonita. Hay unas ponies —chicas pequeñas que bailan levantando la pierna—, y yo les hago marcar el paso. Por allí el grupo se dispersa y yo digo "Bueno muchachas, bastante por hoy. Hasta mañana" y aguardo a que Rosita Moreno se me acerque y me diga "Aquí le traigo un álbum para que usted elija los lugares y vea dónde he bailado". Le respondo: "Muy bien, ¿quiere usted ensayar? ¿qué quiere bailar?" A lo cual contesta ella "Un foxtrot" y yo "Bien, que sea un foxtrot".

—*¿A Gardel le pagaban bien por esas películas?*

—Por película entre doce y quince mil dólares. La RCA que le grababa le daba unos setecientos dólares por cada canción y además los royalties que no sé en qué quedaron.

—*¿Y cómo se comportaba con usted?*

—Siempre correcto. Un hombre sencillo, además de gran artista, en el que siempre se podía confiar. Un hombre en el que yo veía las virtudes de los argentinos. A través de Gardel yo aprendí a sentir un gran amor por la Argentina. En poco tiempo fuimos más amigos por el mismo trabajo que él me encomendaba. En el set era algo distante, profesional, pero cuando estaba fuera, se entregaba a todos, muy generoso. Todo lo contrario de Maurice Chevalier, que por ese entonces era ídolo mundial. Chevalier ponía muchas exigencias, prohibía que subiera gente a verlo a su salón y por eso tuvieron que decirle que se fuera. En cambio Gardel era siempre de puertas abiertas. Por eso era más querido. Es increíble que dos franceses fueran tan distintos. Uno pasado por el Sena y el otro por el Río de la Plata. Gardel era el entusiasmo. Nos tenía locos con los planos de un auto Hispano Suiza, que estaban fabricando para él en Francia. También muy parrandero. Bueno, yo también. Imagínese cómo me cayó a mí cuando después de lo que pasó se escribieron barbaridades sobre la hombría de Gardel. Qué canallada hubo con él, siendo como era tan bella persona, un hombre excelente.

—¿*Cómo lo llamaba Gardel a usted? ¿Lo trataba de vos, a lo argentino?*

—Plaja, siempre Plaja. "Che, Plaja, ¿me hacés el favor?" o "Che, Plaja, ¿querés acompañarme a almorzar mañana?", Gardel por contrato tenía que cuidar su peso y como era loco por las pastas, se pasaba, entonces se iba conmigo. Me decía: "Vamos Plaja, que me acerco al peligro". Estando de régimen, siempre pedía lo mismo. Corazón de lechuga con un poco de mayonesa, un petit filet mignon, y después una fruta. Siempre muy cortés. Si pedía algo siempre decía "por favor".

—¿*Gardel tenía una relación, digamos más culta, con usted, que con los demás del grupo?*

—Posiblemente. Gardel no era muy culto pero sí muy fino. Yo no puedo decir que fuera un amigo íntimo, aunque lo fui de alguna manera, es cierto. Pero las cosas como son. Ellos me sentían algo distinto pero me querían todos. Le confesaré algo: un día Le Pera llegó a decirme: "Los únicos decentes son Gardel y usted, Plaja, porque el resto de nosotros..." Ésa fue una opinión de Le Pera.

—*Y un homenaje a su persona...*

—Sí, y con toda humildad debo decirle que esa opinión no creo que fuese descabellada. Yo nunca fui hombre de teatros ni de guitarras. Apenas un hombre normal, simple...

—*Vaya hombre simple que está leyendo libros como* La Historia de Francia *de Jacques Bainville... Pero cuénteme cómo era esa vida en Nueva York con Gardel. ¿Muchos romances?*

—Había de todo. Pero allí el que siempre hacía el ridículo era el director Gasnier, que andaba loco por Mona Maris y ésta nada. Por culpa de Gasnier los besos de Gardel y la Maris parecían relámpagos. El francés, cuando entraban en una escena romántica se ponía frenético de celos y gritaba *cut*, corten enseguida. En el cuarto de montaje debían hacer milagros para unir y acoplar, porque siempre faltaba celuloide en esas secuencias.

—*Faltaba beso...*

—Faltaba beso. Quedaba en una intención incumplida. No era un beso como debía ser.

—*¿Hubo ese amor entre Gardel y Mona Maris?*

—No es cierto. Hubo simpatía, pero no amor. Toda esa historia es falsa. A mí me gustaba la Maris. Tenía unas piernas magníficas. Pero como le dije yo allí era el último mono. Un día se produjo algo muy gracioso. Un incidente de filmación. Mona Maris hacía de vampiresa, de novia de Gardel, pero que provocaba en una hacienda criolla, a un grupo de guitarristas. Se escapa de la fiesta de la estancia y se suma a los peones que están cerca del fuego con sus guitarras. Eran peones vestidos de lujo. Uno de ellos, Irusta, hermano de Agustín, se acerca a ella... Gardel entonces lo increpó a Bob Snowdy y le dijo: "¿Qué clase de película es ésta en donde los estancieros y los peones visten igual?" Habló del tema con Le Pera y tenía razón en su queja. Pero Mona Maris replicó: "Pero si los visten muy mal yo no voy a quedar muy bien parada..." Así que se negoció la cosa y se cortó salomónicamente: les quitaron algunos oropeles, medallas que le brillaban al peón de Irusta y allí no pasó nada...

—*¿Y entre Gardel y Rosita Moreno?*

—No, con esa menos. Rosita estaba prometida para casarse con un directivo de la Paramount y él nos la colocó allí. Con ella no se metía nadie.

—*¿Cuál de las dos era la más atractiva?*

—Mona Maris más sensual, pero Rosita Moreno más fina.

—*¿Y por esa época Gardel no tenía una mujer fija a la*

que quisiera mucho, un verdadero amor?

—No, montaron un truco en base a telegramas con una chica de Montecarlo, jurándose amor eterno, pero sólo era publicidad, nada más...

—*¿Esto era así porque Gardel era más picaflor que posible marido?*

—Claro, además él ya no se prodigaba...

—*¿Qué quiere decir no se prodigaba?*

—Que él ya no tenía edad para eso...

—*Pero si sólo tenía cuarenta y cinco años...*

—Sí, pero había vivido mucho, demasiado, ¿me entiende? A Gardel le gustaban todas y en la vida se le dieron todas...

—*¿En qué consistía, don José, su trabajo con Gardel?*

—Poca cosa. Leía la correspondencia y escribía a las personas que él me indicaba, generalmente se trataba de amigos de Buenos Aires. Le atendía el teléfono y le hacía trámites bancarios y otros. Además le enseñaba inglés todos los días. Él ponía interés pero le costaba, francés hablaba bastante y también el italiano de Buenos Aires. En la última parte de su vida hice de secretario privado de él. Dedicaba sus fotos a las admiradoras y llegué a imitar tan bien su firma que siempre me hacía bromas: "Che, Plaja, usted lo hace tan bien que un día me va a retirar todos los fondos del banco..." A veces cuidaba también del taquillaje, pero Alfredo Le Pera era su administrador. No general, sino parcial, porque el apoderado de todos sus bienes era Armando Defino. Pero Gardel cobraba y Le Pera era el que distribuía, el que nos pagaba.

—*¿Y usted con quién vivía?*

—Gardel y Le Pera siempre iban por su lado. Yo vivía con los guitarristas. Nosotros éramos de segunda fila, digamos de otra categoría.

—*Hábleme de Le Pera. ¿Cómo lo veía usted de letrista?*

—Algunas letras son muy buenas. Otras, bueno... La de "El día que me quieras" no fue suya. Eso se arregló con la viuda de

Amado Nervo que dio la autorización para que se hiciera una canción con ella. Quedó claro que se adaptó para la música con la aprobación familiar. Pero sí, las letras de Le Pera las encuentro bien. Muy argentinas. Tal vez un poco exageradas, dramáticas, como lo son los argentinos. Nunca faltaba ese toque de "¿Cuánto tiempo hace que se te piantó tu mujer?".

—*¿Y cómo fue su última gira, don José?*

—Salimos de Nueva York en barco. Eramos ocho, Gardel, Le Pera, José María Aguilar que era su principal guitarrista, un académico que en los recitales ocupaba lo que se llama el intermezzo interpretando melodías criollas, Guillermo Barbieri, y Ángel Riverol, también guitarristas, Alfonso Azaff, que creo era venezolano y hacía de publicista, ocupándose de que en los lugares donde cantaba Gardel salieran autos con altoparlantes gritando "Concurra esta noche al teatro tal para el grandioso recital...", después venía Corpas Moreno que era el valet, el criado de Gardel, y finalmente yo. El itinerario más o menos fue por barco a San Juan de Puerto Rico, después a La Guayra, Puerto Cabello, Maracaibo, Lagunillas, Curaçao. De aquí fuimos en un pequeño avión, de fuselaje de madera, hasta Aruba. Daba miedo tomarlo. Lo que más me reconfortaba en ese viaje de noche era que el piloto holandés era alto como una catedral, llevaba su traje bien almidonado y daba la sensación de seguridad. El pobre holandés estaba rojo como un camarón por el sol de Curaçao.

—*¿Gardel le tenía miedo al avión?*

—Un poco de aprensión, como todos.

—*Continuemos, don José.*

—Bien, estuvimos en Barranquillas "donde se va el caimán" y de allí hasta Bogotá, recitales, mucha gente, mucho fervor por Gardel. Después nos preparamos para seguir viaje y vino lo de Medellín... Yo le explicaré qué sucedió allí. La noche anterior hubo una partida de póker que se demoró mucho. El capitán del avión Morrison nos había indicado de salir muy temprano. Si lo hacíamos así, evitaríamos hacer escala en Medellín. Le preocupaba la hora y que el macizo central de Los Andes se cubriera de niebla. De partir temprano él podría llenar los tanques con gasolina a tope y no parar. Podría sobrevolar y ver todo y darle el máximo de techo al aeroplano. Retrasándose, este itinerario resultaba aventurado. Y salimos tarde por la demora del póker de la noche anterior. Eso obligó a cambiar su plan de vuelo. Ya habría neblina espesa, por lo que debió poner menos gasolina y por lo tanto descender en Medellín...

—*Allí estuvieron muy poco tiempo...*

—Sí, muy poco. Yo fui el último en entrar. Tenía que ir al toilette y les dije a los muchachos que ellos se sentaran primero —adelante— que yo quería colocarme en la silla de atrás de modo que al iniciarse el vuelo se podría, era permisible, abrir el toilette. Hice eso y me senté en la última silla y tomé *La Vorágine*, de José Eustaquio Rivera, que venía leyendo. Gardel estaba con Le Pera adelante, detrás del piloto.

—*¿Usted tenía puesto el cinturón de seguridad?*

—No, y eso me salvó. Como también estar atrás. Siempre imaginé que en un accidente se mataban los de adelante y que atrás quedaba alguna posibilidad. Bueno, tomo ese libro, el avión comienza a rodar por la pista. Lo manejaba el piloto Samper, que quería tener el honor de llevar a Gardel. Yo no sé bien cómo se produjo esa catástrofe. Allí están los informes de la comisión que investigó. Parece que Samper al salir fue tomado por un viento cruzado que lo empujaba hacia los hangares. Él, en un intento, quiso sobrevolar esos hangares pero no le dio el motor, el aire se arremolinó y se convirtió en un viento vertical que le impidió saltar, digamos, y así, tras elevarnos unos pocos metros, caímos en picada sobre el otro trimotor que con los motores encendidos esperaba su turno para arrancar.

—*¿Cuánto se elevó el Ford F31 en el que iban ustedes?*

—No podría calcular, no sé, una planta y media, un piso y medio más o menos...

—*¿Usted recuerda gritos, cosas previas al choque?*

—No, nada. Eso del tiro de revólver en el avión y otras barbaridades, son todas pamplinas. El choque me despidió de mi asiento y caí en el pasillo pero de tal manera, de costado, que me quemé uniformemente. Ahí es cuando me quemo la cara y las manos. Los dedos no quedaron aprovechables y hubo que cortarlos y ponerles guantes a las manos. Yo caí del avión. Hay un hombre de Medellín que todos los años me escribe una carta o una postal. Él fue quien con un extintor me apagó el fuego del cuerpo cuando caí del avión a la pista. Estuve con Aguilar en la clínica de La Merced para las primeras curas y de allí me llevó mi hermano a Nueva York, al Medical Center. Las monjas de este gran hospital me decían que había tenido mucha suerte, pero cuando luego vi qué había quedado de mí... Ésos de los aviones no pagaron seguro, ni nada. Eran otras épocas, aunque era un avión charter...

—*¿Usted tiene alguna necesidad... recibe alguna pensión?*

—Algo. Muy poco. Lo que tenía lo fui vendiendo. Yo calculé bien: morir sin tener nada, ni un real. Así hay que morir. El destino perfecto del hombre es ése: vivir con todo y morir sin nada... A propósito, usted sabe que hace unos veinte años me vino a visitar doña Adela Defino y me trajo una biografía de Gardel. Hoy estuve buscando ese libro pero no lo encontré. Me temo que lo hayan escondido o tirado para que no tenga huellas. En casa siempre me hicieron eso las sobrinas...

—*¿Quiere que le remita un ejemplar?*

—No, ya no lo quiero leer. Ya lo leí. Era para mostrárselo a usted. Allí aparecía la partida de nacimiento de Gardel que se llamaba Charles Gardes sin acento en la "e". Él nació en Toulouse, francés como su madre, Berta, que se llamaba Berthe. Gardel se defendía con el francés. Una vez en el set me senté sobre su sombrero bombín y me gritó "Plaja, cuidado con el funyi"... Otra vez en "Cuesta Abajo" olvidé su guitarra debajo de los spots y las cuerdas saltaron y la madera se dobló. Gardel se apenó mucho. Anduvo algo malhumorado pero no se enfadó conmigo. Al contrario, jamás lo vi enojado.

—*¿Era solitario Gardel? Digo, de gustarle estar solo, andar solo por allí...*

—No, siempre estaba rodeado de gente. Su departamento de Nueva York se llenaba de atorrantes, de esos argentinos que vivían en la sombra, como decía él, que no sabían sobrevivir si no era "a sablazos". Gardel vivía en un hotelito de Manhattan, en el East Side, la parte más cara...

—*¿Y fue alguna vez a Hollywood?*

—Ésa era su próxima etapa, su proyecto. Por eso yo le daba clases de inglés todos los días. Él quería dar ese nuevo paso de su carrera. Le sugerían hacerse de un público norteamericano, de un mercado que iba a ser más extenso. Pero a Gardel no le iba eso, no se ambientaba. Había cierto apocamiento en él. O realmente, como no estaba en lo suyo, no ponía demasiado de sí. Hizo su esfuerzo, pero poco.

—*¿Qué opina usted de Gardel como músico?*

—Bueno, muy bueno, y sin saber de música. Era todo intuición. Tucci que era cellista del Metropolitan Opera House de Nueva York y que dirigía la orquesta de tango en las películas y lo ayudaba siempre, le decía: "Eres un genio y si aprendieras música no lo serías". Yo en cambio me agarraba con Gardel con lo de las letras, no me iban...

—*¿Qué le decía, don José?*

—Le decía a Gardel que por qué siempre tanta tragedia en esas letras y por qué siempre los hombres lloraban a las mujeres. Le decía de hacer una película distinta, de ir a un pueblo minero, por ejemplo y que fuera al revés de lo que siempre pasa en el tango. Yo le decía a Gardel que ya estaba bien de tantos viudos, que debía empezar a haber viudas.

—*¿Cuánto hace que no ve una de aquellas películas?*

—Hace dos años dieron aquí "El día que me quieras", pero no quise ir. Hace poco vi por televisión la casa de Gardel y me emocioné mucho. Yo nunca estuve en Buenos Aires.

—*¿Iría a Buenos Aires si lo invitáramos, don José?*
—No, gracias. Mucho ruido. En mi vida ya hubo mucho ruido.
—*Y usted que lee tanto, ¿cómo ve al mundo de hoy?*
—Normal. Cada generación hace lo suyo. Es imposible quedarse en un punto. El mundo camina como la vida y lo que los hijos hacen hoy no debe ser lo que sus padres hicieron en su tiempo. Tengo confianza en la humanidad. Hoy se vive mucho mejor en todo el mundo. El progreso trajo cohetes pero también otras cosas. Y con los misiles ya ve lo que pasa. El del día de ayer ya no sirve para hoy. Los de Arabia Saudita los compran y al día siguiente ya se les pusieron viejos. El mundo vive en la paz del terror atómico pero todavía es una paz, y eso es bastante. Hay que tener fe en la humanidad y no verla tanto desde la razón. La razón es una cosa tan abstracta que nadie puede definir y menos aplicarla.
—*¿Puedo hacer algo por usted, don José?*
—No, hijo, nada, gracias. Salvo que si allí se encuentra con alguno de los descendientes de los guitarristas mándeles mi saludo. No sé si la señora Defino vive todavía, pero aun no sabiendo le mando mis cariños. Pero que quede en esto. Que no me escriban. Que todo quede como está.

Ya en la puerta de su casa, me abrazó y pidió "una foto de recuerdo". Lo besé en la mejilla. A todos nos envolvía una rara emoción. Seguramente gardeliana. Con los pequeños ojos irritados y más vivos que nunca, José Plaja me miró y me dijo:
—Por favor, quíteme la gorra. Quiero saludar a todos los argentinos de Gardel con el respeto que se merecen.
Lo hice. Y sus brazos se alzaron jubilosos contra la noche, contra el tiempo.

(José Plaja murió el 11 de septiembre de 1982 y está sepultado en el cementerio de La Bisbal, España.)

Helvio Botana

EL BUSCADOR DE LOS DIENTES DEL PERRO

Avanza por Callao a grandes pasos, manos en los bolsillos y tamaño de niño. Animal impensable en Bonn, en Ginebra, en Nueva York y armónico aborigen en Brujas, Jerusalén o Cádiz, este funámbulo de Buenos Aires puede parecer cualquier cosa menos el lumbrera que es, pese a tener su identidad devaluada en el Poroto de su alias. Polígrafo, pintor, humorista, duende todo ojos, fichador de ambientes, caras, habitué con sandalias de peregrino de los pirigundines más atroces de la Edad Media, putañero furtivo querido en todas las tabernas y temido a la hora de la lengua. Pícaro, blasfemo, rabelesiano de panza chica, gigantesco de risa y pronto a caer (a veces sospechosamente pronto) de rodillas ante un solo dios, difusos dioses o ante todos los dioses a la vez. Teólogo loco que alcanzó la máxima herejía: decirle a Dios "Che Dios" y llevarlo al lupanar. Poroto Botana o, para mejor fijarlo, un hombre que es la falta de medida de todas las cosas.

—¿*Cómo estás, quién sos, qué hacés Helvio Ildefonso Poroto Botana?*
—Muy bien. Y dado que vivimos en un mundo de quejas, pido disculpas. No creo en enfermedades. Soy inmortal. Hasta la muerte seré inmortal. Después seguiré el juego. No quiero un cielo de jubilado tocando el arpa. Quiero un cielo de acción. Hace unos años me convertí al teísmo. Primero casi fui judío. Después descubrí que no había nada que no fuera milagro. Busco algo que no sea milagro y no lo puedo encontrar. Dios debe tener algún ayudante que haga que las amebas se reproduzcan, que las plumitas de los pájaros crezcan. Soy el ayudante de Dios en esas cosas.

Haré una tormenta fuera de sitio, me portaré un poquito mal, seguiré siendo travieso siempre. Para mí Dios no es el señor Dios, sino "papito". Por escribir sobre religión, unos cretinos dicen que soy teólogo. Qué se me va ocurrir a mí estudiar a Dios. Dios es el que nos estudia a nosotros. No sabe lo que ha hecho. Ése es su problema.

—*Ser teólogo es como querer tutearlo a Dios.*

—Peor todavía, son anatomopatólogos de Dios. Dios es una cosa inconmensurable, abierta y para que esté contento hay que chuparle las medias siempre, como todo nene a su papá. Hay que tenerlo tranquilo. Yo lo he llevado a lugares terribles al pobre Cristo mío. A los prostíbulos, a los bares. Y nunca se me ha quejado.

—*¿Siempre vivís así, a la intemperie, a tan alta exposición?*

—Tengo épocas. Épocas de la mitología, de la etimología, de las matemáticas... En todo está mezclada la cuestión ornitológica. Es una cuestión mística, que me cae de vez en cuando, porque este Dios es bastante... no digo qué, no quisiera hablar mal de él en público. Te da una señal pero no te dice qué tenés que hacer. Juega al escondite y yo no lo dejo de buscar. Había un pajarero en la plaza San Martín que vendía pájaros. Le digo: "¿Cuánto valen todos?" "Veinte pesos." "Suéltelos." Y me dice: "¡Ma perché lo ha hecho!" "Por amor a nuestro señor San Francisco." "Ma, per amor a San Francisco los pájaros se lo mangiano." Ese día descubrí que con las ideas sucede igual. Uno produce ideas, las larga y algún pájaro se las come. Nunca voy a tener la seguridad de dejar nada. Uno es un pequeño transeúnte, una nube.

—*¿Es esa la levedad del ser?*

—No, es el ser a secas. Sólo los tipos que hablamos español, sabemos lo que es el ser. El ser es todo lo contrario del estar. En inglés el ser y estar están unidos, en alemán "das Sein", en ruso una sola palabra, en checo una sola palabra. Heidegger habla del "Sein" porque no sabe el español. La riqueza de nuestro idioma es tan grande, que uno *está* y *no es*. Uno *está* ladrón, uno *está* sinvergüenza, pero no *es*. Entonces no condenás a nadie. Es el lenguaje de la tolerancia: ser y estar. Cuando leo el diario, leo *está* sinvergüenza, *está* ladrón. Siempre dejo una salidita para que me la den a mí también.

—*De lo que se trata es de dejar la jaula...*

—De los pájaros podemos hablar. Dicen de la pureza de la paloma. En la India la paloma es signo de lascivia, es mala, adúltera, hace el amor todo el año, con quien quiera. Pero en occidente pensaron que era la dulzura. La paloma es una miserable. Aquí en Buenos Aires, hubo un ornitólogo, Carlos Selva Andrade, hombre de ciencia que creo era santo. En la calle Panamá, donde vive la viuda ahora, planta baja, no tenía nada arriba, y se le juntaban zorzales, calandrias, todos los pájaros sueltos llegaban allí porque sabían que era ornitólogo. Pájaros que no existían en Buenos Aires, paraban allí. El día que el murió se fueron todos los pájaros y el jardín se llenó de ratas. Con estas pequeñas cositas hay que andar con mucho cuidado. Era el único argentino que vi llamar a los gorriones y que le comieran en la mano. No como con las palomas. Con ellas es muy fácil. Con ellas hay una trampa: les das maní crudo, se dopan y se te suben de a cinco en la mano. Son pequeñas trampitas que hay que saber.

—*Che, Poroto...*

—A mí Quevedo me sirvió mucho buscando el origen de la palabra che. En el *Estudio de las Germanías Valencianas,* dice que *che* quiere decir tú en hebreo y lo usan por reminiscencias los judíos valencianos. Todavía se usa el *che* en Valencia. Y dice: "Como es sabido en hebreo están los cuatro salmos de David donde usa el *che* como tú". Y en el *Ministerio de la Comunidad de Castilla* de 1646, dice: "Nos dimos cuenta que eran sefarditas, judíos sefarditas de Valencia, porque en vez de llamarse de tú, se llamaban de *che*". Éstas son las cosas que le debemos a Quevedo. Aunque también Quevedo era un grandísimo cabrón. En la inquisición daba consejos como éste: que a los herejes había que quemarlos en público —porque siempre los quemaban a ocultas— pero amordazados porque podían decir cosas que excitaran el fanatismo de los oyentes. Eran los consejos beatíficos de Quevedo. Quevedo es una especie de Borges. Se parecen hasta en el matrimonio: duró nada más que quince días. Por algo debe haber sido. No había una María Kodama. Aunque a Quevedo hay que amarlo como a Borges. Amarlo, leerlo, pero no escarbar mucho. Dicen que lo encerrraron en la torre de Juan Abad por una epístola que había escrito, pero no fue por esto: fue por ladrón público. Con el Duque de Osuna, a quien le daba consejo de usar la inquisición rápido, habían robado tanto que quedaron presos los dos. Es tan miserable Quevedo que en las obras completas hay una parte que dice "Gran hombre el Duque de Osuna". Sólo porque era su mecenas. Va a Nápoles y encuentra un hombre que hacía veinticinco años que estaba preso y dijo: "Soltadle. Veinticinco años, por más grave que sea su crimen, es mucho tiempo." En otra escena encuentra un sodomita preso, y dice: "¿Cómo un sodomita preso? Quemadlo." Y lo quemaron enseguida. Era un caballero. Con estos comentarios no sabemos qué hacer. Igual que con Borgesito...

—*Quevedo, Borgesito, paloma, ¿qué pájaro preferís?*

—Debido a que tengo setenta y cuatro años, por una cuestión de solidaridad, el pájaro que me gusta más es el gallo viejo. El gallo viejo también sintetizaría mi vida. Al gallo uno lo pone tres días sin comer, larga las gallinas, les tira maíz y el gallo hasta que no comen las gallinas, no come tampoco. Muy solidario. Me gustan. He tenido gallos de riña.

—*Eso va más con Quevedo que contigo...*

—Es que los gallos de riña se divierten conmigo. Les gusta la violencia como a mí. Yo salía de pequeño todos los días a pelear a la calle. Me encantaba. La última vez, era joven todavía, tendría cuarenta y cinco años, el Tuco Paz —embajador en Atenas y canciller en la época de Perón— me dice: "Mirá, Poroto, en los

tiempos de antes los cajetillas iban al bajo a armar camorra."
"Vamos." Salimos los dos. Sin mujeres, sin la japonesa, la loca linda, mi mujer. A las mujeres cuando vos las conocés hay que cambiarles inmediatamente el nombre, para cuando vos las llamés no recuerden nada de otro hombre. Yo a la mía le puse "loca linda". Llegamos con el Tuco al Avon, que era un tugurio horroroso. Había un ropero de dos metros en una punta y otro flaquito en la otra. Agarro al flaco y le digo: "Tirate al suelo que esto es sólo una joda". Agarro, le amago, lo tiro al suelo, le pongo un pie encima y le digo: "Si te movés te rompo" y grito: "Tuco, aquél es tuyo". Descubrimos que la famosa rapidez de los reos era una joda. Aflojaron enseguida. El Tuco muchas veces me decía: "Te acordás de aquella vez que hicimos volar a esos guapos". Era la alegría de la pelea. Después que me dediqué a pelear, descubrí que esa frase que dice "las ideas no se matan" está totalmente equivocada. No hay que matar a quien las lleva. Pero las ideas se matan. Se las discute para eso, para matarlas. Aunque soy incapaz de pegarle a nadie. Primero porque tengo setenta y cuatro años, que es una época en que me parece que hay que frenar. Por eso soy vegetariano.

—Y ornitólogo.

—Sí, de la vida amorosa de los pájaros. ¿Sabés cómo emigran los colibríes que son tan chiquitos de esta América a Florida? Se suben sobre unos patos y viajan como si fueran en colectivo. Bajan allá. Son divinos. Trabajé y aprendí con Selva Andrade. Una vez tardamos dos semanas en llegar a Córdoba para probar una teoría sobre la nidificación de los horneros. Íbamos con aparatos para tomar el viento, las isobaras, las isotermas. Una preciosa aventura, pero con la teoría equivocada. Sólo sirvió para comprobar que de aquí a Córdoba existen dos mil quinientos nidos de horneros y mil quinientas cantinas. Selva Andrade no tomaba, pero yo sí. Selva Andrade descubrió que en el norte hay un pato que anida en los árboles. El problema era cómo bajar los patitos. Selva

169

se quedó tres días observando el nido. La pata los tiró. Son tan livianitos que no se hacen nada. Y si alguno se mata, es la selección natural.

—*Milagro roto.*

—Todo es milagro. Te apuesto cualquier dinero y te doy dos mil años para que me contestes. Estar viviendo es un milagro. Yo también soy un milagro. Por eso tengo un orgullo satánico. No es que sea semejante a Dios, es que Dios es semejante a mí también. Hay que aceptarlo con soberbia. A un compadrito amigo que se estaba muriendo lo convertí con ese argumento.

Me dice:

—Poroto, estoy palmado.

Y yo (siempre hay que avisarle a un hombre cuando está palmado) no se lo oculté:

—Sí, sí, estás para una pésima.

—¿Vos crées que me vaya?

—Seguro.

—¿Voy a encontrar a mi padre?

—Seguro.

—¿Y al tuyo?

—También.

Entró a recordar a sus amigos y por allí dijo:

—Llamen a un cura. Voy a tirarme un lance y morir como un santo.

Y así fue. Otra vez, mi cuestión teológica de la muerte, la resolví en el velorio de Nicolás Olivari. Había radios y gente del deporte. Y Ulises Petit de Murat empezó a llorar mucho, porque le gustaba un poquito la escenografía. Entonces le digo:

—¿Cómo te atrevés a llorar ante la muerte?

Y allí nomás lo entro a insultar y lo domino. Entonces se acercó un tipo chiquito, petiso con el pelo teñido, me codea y me dice:

—Usted tiene razón, señor, la muerte no existe. Yo lo sé porque soy espiritista. Esta noche voy a agarrar la mesa de tres patas, lo voy a llamar a don Nicola, y va a venir. Siempre fue tan humilde, tan sencillo. Él no va a ser como esos cretinos a los que se les sube la muerte a la cabeza y no contestan más. Esa noche juré que el día que me muera no saludaré a nadie. Me rajaré a las estrellas. Estoy citado con Bioy Casares para dentro de cincuenta años a la derecha del primer agujero negro. Y después lo voy a cruzar para ver la antimateria. Él me espera allí, a la derecha. Si querés te esperamos también. Te esperamos cincuenta años, más de eso no.

—*Tus encuentros con Borges, ¿eran terribles o pacíficos?*

—Muy pacíficos. Cuando muere, todo el mundo quería heredarlo. Borges trabajó tres años en Crítica. Comíamos juntos, éramos amigos en parte pues yo nunca pude serlo. Éramos gente diferente, nunca tuve intimidad con él. Además me porté mal. Me invitaba a almorzar para hablar de matemática no euclideana y yo tengo una obra publicada sobre el tema. Busqué la fórmula del infinito y la encontré. Le gustaban esos temas. Pero nunca habló de mujeres, de procacidades ni de nada. Era otro mundo. Él pertenecía al mundo de los libros encuadernados. Y yo no tengo libros míos en casa para no copiarme. En mis encuentros con Borges, en caminar cinco cuadras tardábamos dos horas, habla que te habla, pero evitaba sus invitaciones a almorzar. Era demasiado libresco, culto y yo estoy en la lucha contra la cultura. Cuando descubrí la palabra contracultura se me iluminó el mundo. La cultura es un invento germánico. Para hacer la guerra contra el Imperio Austrohúngaro y contra Francia, tenían que incentivar a los soldados con algo, porque no se puede pelear en frío. Hay que ser fanático. Las guerras tienen siempre un transfondo religioso. Entonces inventan eso de la lucha por la cultura. La palabra cultura en alemán no tiene la acepción que damos acá. Era un asunto muy germánico, monopolio de los alemanes luteranos, nada más. Por eso cerraban sinagogas e iglesias. Fue Hitler quien continuó con la *Kulturkampf*, y además de dejar afuera a judíos y a católicos, dejó afuera a todo el mundo. Y como necesitaba filósofos ¿qué hace? Resucita a Kant, del que no se acordaba nadie. Kant era un desgraciado misógino, misántropo, que hizo cortar un árbol para ver el reloj de la plaza. Un árbol centenario. Un tipo que mata un árbol, es un genocida. Además no es filósofo. Un tipo al que no se entiende no lo es. Hay cretinos que creen que cuando no entienden es importante. No lo entienden porque es un bruto. Hay que decir las cosas claras. Entonces lo levanta a Kant, a Schopenhauer y crea una filosófia hermética, que no la entiende nadie. Así oscurece la filosofía y por contagio se oscurece la música y se oscurece la pintura. Porque es todo junto. En contra de la cultura, palabra que no se usaba. Antes, a los sabios les decían filántropos, porque no se podía concebir que un hombre tuviera conocimientos si no era para ponerlos al servicio de los demás. Y la cultura no. La cultura es de "elite", que exige que la cuiden. Por eso soy anticulto. Y por eso tengo la honra de haber sido expulsado de Argentores y todavía no de la SADE porque no voy nunca y no me junto con ellos.

—*¿Te alegra cultivar la cultura del desprestigio?*

—No, cultivo la sabiduría. No la que está en los libros sino la que tiene un lustrabotas, un borracho. Ayer conocí un pintor de paredes que era una joya. Tenía sabiduría. Sabía todo. Un mudo charlatán o un mamado de éstos te dan las explicaciones más desopilantes del mundo. Los sabios están en la calle, no en la Feria del Libro. A la Feria del Libro jamás hay que entrar. En la Biblioteca de Chile hay una frase que dice: "Dios te libre, libro mío, de las manos del librero, que cuando te lo está alabando, es cuando te lo está vendiendo".

—*Quienes se llevan bien contigo son los judíos. En Israel tienen por sagrada tu biografía* El Rey David, *nada menos que seiscientas páginas... La consideran intocable. ¿Por qué?*

—Porque demostré que Machiavelo, para *El Príncipe*, no se inspiró en César Borgia ni en Fernando el Católico, sino en el Rey

David. Defiendo que haya mandado a matar por amor a la mujer. Porque es mucho mejor matar por amor a una mujer que matar por dinero, matar por negocios, matar por fronteras.

—Un via crucis muy particular *tuvo repercusión mundial. ¿Por qué?*

—El Via Crucis es un rito nuestro que termina con la muerte de Cristo. A mí no me gusta ese final y lo hago resucitar. Entonces me llaman de la Curia urgente para informarme de parte del Vaticano que la mejora que yo había propuesto era universal. Que en el futuro, todo Vía Crucis tenía que terminar con la resurrección. Eso me produjo, primero, un ataque de risa, luego de miedo, pensando que las hermanitas de María y toda la beatería me iban a empezar a perseguir. Después me dio un ataque de cognac. Me tomé tres botellas. Y por fin tuve un infarto a causa de tanto cognac. Del susto, sabés.

—*Pero resucitaste.*

—Fue una conmoción. ¿Sabés cómo es? La muerte es como subir en un tobogán para arriba, en un trineo. Una felicidad y una respiración. Y de repente unos colores, unas montañas muy mal pintadas. Hasta pensé: "¿Quién fue el cretino que se acomodó con Dios y le dejaron pintar esta porquería?" Y cuando llego, miro las puertas del cielo y digo: "Gallego abrí la puerta". Me salió el tilingo porteño de pensar que todos los porteros tienen que ser gallegos. Cuando abrieron la puerta era San Pedro. Culpa de eso me mandaron de vuelta. Si no yo hubiera sido santo. En este momento estarías hablando con un ángel.

—*Creo efectivamente estar hablando con un ángel. Pero sigamos.* Memorias tras los dientes de un perro *en 1975. Son tus memorias. Y por qué "tras" los dientes del perro...*

—"Tras los dientes del perro" es una parábola de Selma Lagerlof. Hay un perro muerto, podrido, maloliente, lleno de pústulas. El pueblo comenta: "¿Hay algo más asqueroso que esto?" Y una voz de atrás dice: "Sí, pero qué hermosos dientes tiene". Es la voz de Cristo. Era Cristo. Por eso, hay que buscar los dientes del perro en todo. Cuando encontrás un malandra, escarbalo y vas a ver que encontrás los dientes del perro. Mi vida es eso. Buscar los dientes del perro.

—¿*Te recordás de niño?*

—Tuve un papá que era papamamá. Un papá magnífico, tanto que cuando yo ya estaba casado con hijos, a las cuatro de la mañana, terminaba la noche abrazado con ellos. De modo que estoy lleno de complejos con mi papá. Son cosas que pasan. Con las costumbres y las épocas. Te voy a explicar a qué se deben. Son siempre anécdotas e historias. Me contó un tal Federico Ramírez, un bohemio célebre, que una vez que tiraron el vino en Mendoza se zambulló en una acequia y murió bebiendo, y que otra vez, como las hermanas le habían escondido la ropa para que no saliera a emborracharse escapó en calzoncillos: en la camiseta se pegó un número y como un corredor solitario se llegó al centro. Este Federico me contó de un epitafio visto en Londres: "Aquí yace John Drift Water, nació hombre, murió almacenero". Pues yo nací hombre y quiero morir hombre. Por eso la vez que Enrique Molina me dijo que yo era buen poeta agarré todos los libros que tenía y los tiré por el quemador. No, sería horroroso morir poeta. Fue así que descubrí la teoría del desprestigio, que es lo siguiente: vos te desprestigiás haciendo cuentos, pues enseguida dirán que sos cuentista o cuentero. Tenés que salir con algo opuesto. Nunca seguir la veta. Romper con todo. No me cuesta porque tengo una memoria de animal y además me transmuto. Cuando escribí el libro *El Rey David* no comía más que la comida de Israel del siglo X antes de Cristo: dátiles, queso de cabra, aceitunas, leche, no comía otra cosa. Todo, todo lo que fuera de la época, para tener la misma digestión de David. Si hasta me llamaron de la DAIA para que escribiera también sobre Josué, no sé qué. Me iba a convertir en no sé qué... Entonces salté a una cosa totalmente absurda, rompiendo. Un libro de escándalo con la altura de Yaciretá. Des-

174

pués largo un libro de matemáticas, de una geometría no euclideana que la tuve que descubrir porque no podía pensar en el infinito.

—*¿Qué fue lo que encontraste?*

—Invertí el orden de las coordenadas cartesianas. Nadie me obligaba a decir primero línea, plano, masa. Dije no, primero masa, segundo plano, tercero línea, cuarto punto. La cuarta dimensión la encontré a través del punto matemático en el que no hay espacio. Siguiendo las congruencias euclideanas de espacio tiempo, si no hay espacio no hay tiempo. Si nos metemos en un punto, vos y yo seremos un solo ser, y tu padre y el mío también, porque no hay tiempo. Y por eso uno es todos, ese maldito miserable, aquel violador, ésos también soy yo. Mirá, en vez de la lucha por la vida hay que buscar un asunto en que seamos todos responsables uno del otro. No podemos pelearnos entre nosotros porque el máximo miserable también lo soy yo.

—*Muy hermoso. Es lo de John Donne y el doblar de la campana, también el Borges de "Yo que he sido todos los hombres..."*

—Esa teoría la discutí con Borges. Me dijo: "Traéme el libro" y no se lo mandé. ¿Para qué si el libro no sirve para nada? Mirá, los cultos viven parados en la biblioteca. En su tiempo Adriano envió maestros a que enseñaran a leer y a escribir a un pueblo bárbaro. El rey bárbaro los escuchó, llamó a sus soldados y les dijo: "Póngalos en la frontera que traen un bárbaro invento que va a hacer que los hombres pierdan su memoria." No estaba equivocado. La vida es otra cosa. Antes el libro se escribía, ahora se fabrica. Tomás Moro dijo que los libros eran malos para la universidad porque los alumnos no atendían al profesor. Antes se escribía y se encuadernaba para la eternidad. Ahora son descartables. En Estados Unidos los leen y los tiran. Como esa música movediza que no deja pensar. Yo para pintar uso a Vivaldi y a veces lo tengo que parar pues con tantas pinceladas entro en un barroquismo espantoso. Los libros son para escribir en sus márgenes. Yo me peleo con los griegos y a Platón lo tengo muy insultado en los márgenes de los libros. Como soy inmortal, si un día me encuentro con él, no lo voy a saludar. El libro, no. La vida es la sabiduría. Beber vino con amigos, reírse, saber escuchar. Soy un gran charlatán aunque mejor oyente. Claro que cuando me viene la maldad mis contragolpes son terribles.

—*Pero al final, ¿la pifió o no Platón al echar a los poetas de su República?*

—Es fascismo. La República es fascista. Es el estado sobre el individuo. Un día me puse a pensar en lo mal que le había hecho Aristóteles a la cultura occidental. Santo Tomás de Aquino toma a Aristóteles y crea la escolástica. Detiene el pensamiento humano, lo detiene trescientos años.

—*¿Cuáles de tus libros preferís?*

—Los libros como los pecados no se pueden borrar. Hay que adaptarlos a uno y hay que amarlos. *El Rey David* debe quedar. Mi libro de matemáticas sí, va a quedar, eso seguro, porque es la única fórmula de infinito que hay hasta ahora.

—*Casi nada. Lo decís como si hubieras descubierto el engrudo...*

—Y sí, qué voy a hacer, son cosas que me pasan. No es culpa mía. También me gusta *Catecismo Reo*, mi último libro. ¿Sabés qué es el Catecismo Reo? Soy apóstol, hablo siempre de Dios. Así como hubo colegas míos que morían en los circos romanos o, santo Tomás Moro en la Torre de Londres, a mí me tocó apostolar en los bares y en las casas de mala fama. Pero no tengo la culpa. A mí me puso ahí y ahí lo veo siempre. A los ladrones les explico lo de Jesús entre los dos ladrones, al más atorrante le explico de María Magdalena antes de ser santa, y así voy contando las cosas. El Catecismo Reo es esa explicación. Enseño cómo pedir rebaja en los confesionarios, cómo hay que acomodarse, y hablo de la castidad sacerdotal. En una carta un tío abuelo de mi padre, que era cura, le dice: "Natalio, me han dicho que has caído en el terrible vicio de la lujuria y la concupiscencia. Ruega al señor que te ilumine con la castidad y que no tarde tanto como conmigo que me iluminó a los sesenta y tres años." Éstas son las cosas que tenemos que seguir haciendo. El mundo es precioso, hay que verlo desde arriba y tomarlo con risa.

—*Al modo de los ángeles...*

—No. Los ángeles son inferiores a los hombres. Por eso nos celan. Somos muy superiores a los ángeles. Está en el Viejo Testamento: "...y se enamoraron de las hijas de los hombres que eran bellas de sobremanera y nacieron los gigantes." Es mi caso, yo soy paridor de gigantes, hago gigantes. Las mujeres se indignan porque uno es un ángel. Somos ángeles con cara sucia, pero somos ángeles. Es una opción, el hombre es superior al ángel porque el hombre tiene voluntad. El otro tiene voluntad de Dios y podemos pelearlo. En el Vía Crucis que te cuento, a Cristo muerto le digo: "Judío cobarde, te dejaste matar para huir tu responsabilidad. ¿A qué viniste? ¿A salvar al hombre o a pedirle disculpas por haberlo creado? Judío cobarde, judío cobarde." Por eso lo tuve que resucitar y arreglarme con él. Sin Cristo resucitado, no existo. Cristo tiene que resucitar para que resucitemos nosotros. Es un lance, pero un lance importante. El ángel es una parte de Dios. Nosotros tenemos voluntad y por eso peleamos. Somos peleadores contra Dios.

—*¿Que es la noche para vos que has vivido de noche como pocos?*

—Bien, tengo la noche y tengo los sueños. Lo que sueño lo considero como si lo viviera. De día uno se encuentra con otros y de noche con uno solo. Salir de noche a la aventura, siempre con desconocidos. Me encuentro con Javier Villafañe. Nos adoramos pero nos vemos poco. "¿Por qué no nos vemos más?", me dice. "Para no gastarnos." Hay tipos de tanto talento y Javier es uno. Pero el santo que yo conocí es Selva Andrade.

—*¿Llegaste a tratar a Macedonio?*

177

—No demasiado. Era como César Tiempo. Siempre impulsaba a todo el mundo. Era un apoyador de gente y de talento. Él me mandó a llamar por mi libro *La segunda alegría*. La segunda alegría era lo que yo tenía, no tenía fe en Dios pero conocía su obra. La primera alegría es la fe y la segunda es amar la creación sin saber quién es el que la hizo. Escribí ese libro y él me mandó llamar. Estuve un rato con él y me fui. Era un viejito con barbita, magro. Escribía cosas y las tiraba y tenía unos hijos maravillosos, si no hubiera sido por los hijos sus obras se habrían perdido. Era grande. Era un santo. Ahora hay la misma cantidad de santos que había antes. Mi portero trabaja tres turnos para ayudar a su familia. Hay gente que come menos para que los chicos coman más. Hay santos a patadas. Lo que pasa es que hay que otearlos. En el judaísmo se llaman los justos.

—*El judaísmo te atrae....*

—Es una obsesión mía. Cuando chico fui judío un año. Mi vieja era anarquista. Mi viejo, agnóstico. Había sido seminarista jesuita; después se fue a la guerra civil. Era respetuoso, decía: "A curas y a militares hay que respetarlos, pese a su investidura, porque son hombres". A los siete años salía con Morosoff, Skolnikoff, nunca con un Pérez. Y jugábamos. A la figurita, al rango, a esto, a aquello, después a ver a quién hacía pis más lejos. Tenía siete años. Yo apretaba el prepucio así y largaba el triple que ellos y decían: "Con prepucio no vale. Con prepucio no vale." Fue la única diferencia que encontré entre judíos y cristianos: podemos mear más lejos. Fui judío un año entero. Cuando le conté a mi padre que yo era judío respondió: "Si te gusta, seguí hasta fin de año". Así que seguí hasta fin de año. Y después me hice medieval... Yo vivo en el siglo XIV todavía. Soy un medieval, me doy cuenta. Yo me arrodillo y de pronto... Ah, escuchá: un día en misa veo una serie de mujeres muy humildes. Eran del hospital Durand, todos brazos quebrados. Al confesarme pregunta el cura:

—¿Qué pecado tenés vos?

—Lascivia.

—Ma, ¿qué es lascivia?

—Y lascivia es un pecado medieval. En el medioevo no estaba la gula porque había tanto hambre que no era pecado la gula. El pecado de lascivia es la tristeza, el desgano espiritual. Entonces, hoy me levanté con lascivia porque no me emborraché ayer. No tengo nada y me levanté con cierta tristeza y yo me confieso cuando estoy triste, nada más.

—Ma dejate de macanear con tanta teología. ¿Das limosna o no das limosna hoy? ¿Sos rico?

—No.

—Bueno, hacé una cosa, te das una vuelta a la manzana y comprá un sobre. Arriba ponele padre Salerno, que sono io. Y poné padre Salerno perche si no cuesto cabrón del párroco se lo chapa tutto.

Entonces voy a comulgar y lo veo a Cristo tan lascerado, y me digo pobre Cristo a mí me tiene como presente, a estos desgraciados como presentes, estos rengos lo van a seguir, los mancos le van a dar la mano, los ciegos lo van a ver, y el cura Salerno mandando en el confesionario. Y me puse a llorar. Luego voy a verlo a Nicolas y le digo: "¿Qué le pasa al padre Salerno?" Y me dice: "Ah, dejá, pobrecito. ¿Sabés lo que le pasa? Vino de Catania a hacer la América acá y se está muriendo de hambre. El párroco es un avaro. Quiere volver a Italia y está haciendo cualquier cosa para juntar la plata de la vuelta." Y así, en un arrebato, dice Olivares: "¿Por qué no lo mandamos de vuelta?" Y fuimos, le compramos un pasaje, que creo que iba atado a una hélice, no costó casi nada, y lo mandamos de vuelta a Catania.

—*¿Y tu encuentro con Agustín de Foxá, ese español que pasaba por ser el polemista mayor del reino?*

—Foxá era un conversador de fama mundial. Curzio de Malaparte en *Kaput* le dedica capítulos y lo llama "el hombre más ingenioso de Europa". Yo tengo más o menos fama acá. Viene

Foxá a Buenos Aires, nos junta el embajador y todos esperan el encontronazo. Pero el rápido Foxá me dice: "Yo tengo fama universal. Si me equivoco y hago algo mal, pierdo la fama universal. Y tú tienes fama regional. Hagamos un pacto de no agresión." En el almuerzo no dijimos una sola palabra ninguno de los dos. Y luego nos reímos mucho. Nos hicimos buenos amigos. Siempre tuve amigos. Visito a mis amigos comunistas y les digo: "Pequeños mortales" y los cargo. Hay que ser amigo de los comunistas. Soy amigo de todos menos de los católicos porque me hartan los chupacirios. Voy a misa todos los domingos, comulgo como un santo pero creo que la música de la iglesia hay que cambiarla. Hay que poner "El toreador" de "Carmen" de Bizet, y salir bailando y volando. Yo recién me bauticé a los treinta y siete años, solito me bauticé. Busqué un cura de apuro y como ninguno me convenció, me convertí solo para no parecerme a los protestantes. Los jesuitas me llevaron a hacer un mes de ejercicios espirituales. En aquel tiempo se comulgaba arrodillado. Yo era el único seglar, los otros eran seminaristas menos un tipo con una cara tan de triste que le pego un codazo y lo volteo. Después me dice el cura Achával:

—¿Qué te pasó?
—Le pegué.
—¿Y por qué le pegaste?
—Porque estaba triste para comulgar. Entonces le pegué.
—Está bien, en realidad tenés razón. Pero no lo hagas más.
—Y seguí bueno. Buenito. Como hasta hoy.

(Helvio "Poroto" Botana murió el 21 de febrero de 1990. en Buenos Aires. Con un libro en la mano. Y en su ley: sonriendo.)

JUAN PERÓN

EL HOMBRE QUE SEDUCÍA DEMASIADO

—Adiós, buen viaje. Hasta siempre.

Las palabras se perdieron y la vieja mano manchada se mantuvo alzada sobre el paisaje de Madrid. En la primera curva del camino, desapareció.

—*¿Será Perón?*

Era la quinta "17 de Octubre" y los tricornios que me miraron torvamente desde el celular, esos "guardia civil caminera, lo llevó codo con codo", estaban allí para vigilar, más que cuidar, a un hombre. Yo seguía desconcertado sin encontrar el encanto, el momento en el que el famoso vendedor de baratijas había concretado su acto de magia. ¿Una superproducción de Perón? Pero, ¿a tal punto?

Todo cronista tiene fechas. Esa tarde del 8 de mayo de 1965 un llamado lejano cegaba el paisaje de Madrid, empujándome hacia el sur americano. Era 1944 y sin entender qué sucedía me había corrido hasta el borde de los frigoríficos de Berisso, pues casi todos los vecinos del pueblo iban hacia allí. Había un palco frente a la casa de fotografías Bergman y en el medio, junto a un micrófono, un hombre que gritaba. Yo tenía catorce años y debajo del brazo un libro de Julio Verne. Nada sabía de esos dos allí, hablándole a los otros. Mi padre, obrero del Swift, no había querido ir. Con su castellano a pedazos le escuché comentar: "Yo no voy. Perón es un farabute". Y como lo suyo era hacer lo que pensaba, se quedó. Fue de los pocos que esa tarde no se arrimó al baldío elegido para el mitin. Yo estuve y pude ver algo de la cara del militar. Tenía las manos tomadas adelante y sonreía. Al terminar el acto la gente se echó como un río por la calle Montevideo al grito de "Ci-pria-no". También coreaban el nombre del militar. A mí lo único que me atrajo fue ver cómo lo llevaban a Reyes en andas. Sólo en los carnavales se juntaba tanta gente. Desde lejos, y con cierto temor, seguí la caravana. Cuando volví a mi casa, los gritos seguían y las vecinas comentaban en las esquinas. Yo apretaba el libro con un temblor alegre. Esa noche iba a saber si Impey Barbicane llegaba a la Luna. No había asunto que me importase más.

Con ese hombre me volví a encontrar —mucho más cerca: a veinte metros— un día de agosto de 1947. Otra vez junto a los frigoríficos: había llegado hasta la cabecera del dock, para echar una ofrenda floral por las víctimas de un siniestro petrolero. Ya no era un niño suelto sino un empleado de la fábrica. Era mediodía y como tantos otros que deambulaban por los callejones del puerto de La Plata a la espera del comienzo del segundo turno de trabajo en el Swift, fui a curiosear el acto. Esta vez sabía de quién se trataba. Pude estar próximo de ese hombre. Vestía de militar, otra vez, y se mostraba muy serio. Casi no habló con sus acompañantes y la ceremonia no duró ni media hora. Me impresionó su rostro manchado de rosa. Y su presencia. Quedé más pensativo que aquella vez de tres años atrás. Con las manos metidas en los bolsillos del guardapolvo me detuve a mirar cada proa de barco anclado en el dock. La cabeza insistía en el loco sueño de viajar por el mundo y no terminar como mi padre en la siberia de las cámaras frías del Swift. Ahora leía las *Cartas a un joven poeta* de Rilke, *El hombre que murió* de Lawrence, y novelas a montones.

Por ese hombre al que acababa de ver por segunda vez, habían ocurrido cosas importantes en el frigorífico. Pero yo me sentía poeta puro, incontaminado. Muchas veces, en las pausas del pesaje del "frozen beef" y el "chilled beef", me hundía en el *Hyperión*, de Hölderlin. ¿Qué iba a tener que ver conmigo ese hombre, por más presidente, por más militar y otras cosas que fuera? Sin participar para nada de las cosas del día, soñando ser poeta, no entraba ni en el juego de la oposición juvenil —incipiente en esa época— ni en el bramido jubiloso de quienes seguían a su líder. Yo lo único que quería era largar ese maldito frigorífico.

1

Este recuento se revolvía en mi memoria al ir hacia mi primer encuentro con Perón, quien tenía vedado hablar de política y comprometer a Franco con el gobierno argentino. Llegué antes de lo convenido y, fumando, esperé. Me entretuve haciendo cálculos sobre el espacio del hueco de la puerta que cubriría Perón al asomarse. Imaginé también su traje. Oí voces y sonidos de pasos. Dejé el sillón, me abotoné el saco. No entraba nadie aún y ahora sobresalía una voz, cascada y ondulante. Y entró. Desplegando una sonrisa que no se le borró me tendió velozmente la mano. En seguida propuso que nos sentáramos. Él cruzó los pies, y descansando las manos sobre el vientre dejó pasar un silencio. O dos. Perón me escrutaba con ojos muy abiertos. Lo miré con libertad y noté que ya no estaba aquella vieja mancha presidiendo su cara. Esa piel aparecía estirada y seca. Su pelo, lacio, dejaba ver muy pocas canas. Fue lo primero que le dije para quitarle hielo a la reunión:

—No crea. No le haga caso a la carrocería. Yo lo doblo en edad a usted. Estoy sobre los setenta. Cada tanto debo entrar a taller para aceitar alguna biela...

185

Y se rió con fuerza. Fue allí cuando su rostro empezó a funcionar de acuerdo al mito y que muchos caricaturistas supieron plasmar. Aproveché el instante para formalizar el pedido de entrevista sobre su vida en el exilio.

—¡Mire, vamos a hablar todo lo que quiera! Si después eso le sirve, hágalo. A mí me gusta hablar. Y más con jóvenes. Yo y mi generación estamos viejos. Ya hemos cumplido el ciclo.

Consideré oportuno decirle que no era peronista. Que no me importaba participar en política y sí poder escribir sobre mi país y su gente. Que allí sentía mi lugar, pero sin elegir posturas parceladas. Finalmente, con desparpajo que sólo me brota ante una situación ambigua, dije:
—Como ve, no he venido a decirle "¡Qué grande sos, mi general!", sino a hablarle como únicamente puedo hacerlo, como independiente.
Perón me escuchó con cortesía. Luego encendió otro cigarrillo.
—Me parece muy bien y me gusta mucho que sea así —dijo.

Habían pasado cinco minutos. Fueron los únicos en que intervine pues los sesenta restantes le pertenecieron. Analizó su obra de gobierno hasta su caída y luego boceto un mapa de la década última:

—La época carismática del peronismo ha terminado. Pero hemos fijado científicamente todas las etapas del movimiento, para que junto al del carisma, pueda crecer un árbol joven. Por él, el movimiento, sin mí, podrá encarar el futuro. El peronismo es el único partido latinoamericano que sin su líder al lado continúa creciendo. Un fenómeno que asombra al mundo.

Un secretario entró para recordar que había una cita programada y se hacía tarde. ¿Era una salida elegante del laberinto?

¿Todo concluiría allí? Perón se levantó. Le pedí otra fecha y me respondió que me iba a avisar. Me apretó con ganas la mano. Y salió.

Permanecí en el sillón, un tanto desalentado. Parecía imposible alcanzar un reportaje siquiera mediano. Perón era de metal. Había hablado una hora sin parar. Su yo institucional impediría abordar lo íntimo, lo humano que había ido a buscar. No era mi propósito registrar lo sobradamente dicho.

Volví al hotel con la cabeza en ebullición. Su persona resultaba atrapante. Simpatía natural de viejo criollo en el que por mitades se mezclaban Fierro y Vizcacha. Esa picardía, ese tono sencillo. Aprecié un cuerpo macizo y una figura elegante. No parecía viejo. Sólo en un lugar encontré los setenta años de Perón: en sus tobillos. Allí parecía desmoronarse un poco su fortaleza y ceder su imponente estampa. Guardé esta comprobación como un secreto personal. Más tarde, la chequeé con comentarios de algunos de sus allegados. Todos insistían en decirme que "el general sube las escaleras de tres escalones por vez". Lo cual era cierto. Pero me pareció que repetían esa frase para no darse cuenta, como temiendo que sí, que en los tobillos, Perón ya comenzaba a cumplir setenta años.

2

En la mañana del 13 de mayo el teléfono volvió a anunciarme la cita. A la misma hora, casi repitiéndose el rito anterior, la puerta se abrió sobre una habitación más grande. La primavera andaba suelta por Madrid y desde la ventana vi el Mercedes Benz que lo traía. Poco después, en traje gris claro y con una sonrisa dentífrico me palmeó el hombro y se sentó haciendo un chiste sobre la Coca-Cola. Alguien del entorno deslizó un "Qué bien que lo veo, mi general". Perón recurrió a Marañón:

187

—Lo que pasa es que vivo tratando de que no se marchite la cabeza y se me intimide el corazón. Yo ya hice lo mío. Que me suplante ahora lo nuevo del movimiento.

Y otra vez a monologar. Al hablar se apasiona y su oralidad es ordenada y clara. No reitera. Mezcla palabras procaces y giros exclusivos de diálogos de varones. Lo que dice parece ya listo para ser publicado en el boletín oficial. Acude al dato histórico como soporte de su concepción política y su voz se parece mucho —igual, pero más cascada— a aquella que desde un balcón de la Casa Rosada consentía en que el 18 de octubre se usara para holgar y celebrar San Perón. Continúa diciendo lo que siempre dijo. Si ingresa en una materia compleja, como la alta economía, recurre a la analogía cotidiana. Ejemplo:

—Ahora no hay plata. Nosotros la teníamos porque la sabíamos cuidar y usar. Estaba en la caja fuerte y la llave en el bolsillo. Y el bolsillo era nuestro Banco Central.

Cuesta no pensar que doce mil kilómetros más abajo, veintitrés millones de argentinos, de una u otra forma dependen de sus gestos o palabras. No parece desvitalizado. Su cabeza no tiene telarañas. Monologa y de pronto sale con un

—Los jóvenes deben suplantarme. Yo ya me siento descarnado. Me veo como un gran padre. Viajo por las nubes.

Una nueva sorpresa torna desarticulado este segundo encuentro. Han pasado veinte minutos y Perón debe retirarse. Lo escuchado sólo sirve para el ocio de un cronista. Perón dialoga monologando. Como el pescador de *El viejo y el mar* me mantengo en una zona de paciencia gruesa, casi absurda. Sólo ver correr el cordel. Intentar un golpe seco puede dejarlo a uno con la caña en la mano. Por otra parte, un ejemplar históricamente único, como es, merece respeto. Éste, que tengo esta tarde del día 13 de mayo, en que es imposible interrumpir y hay que escucharle hablar de su gobierno, de lo que hizo, de los tres mil quinientos discursos que pronunció, de la perfecta, justa y redonda dimensión del peronismo. Pongo la cara, tomo cuenta sintética de su proclamada excelencia y pienso que el reportaje fracasó. Estoy en alta mar, sin siquiera luchar con el pez. Esperándolo. ¿Cuándo podré intervenir?

—Cuando llegué a España amigos de aquí me preguntaban ¿y sus cosas dónde están? Desaparecieron todas, les respondía. ¿Era tanto el odio?, volvían a preguntarme. No, eran tantos los ladrones.

Una ráfaga de odio le ha cruzado el rostro. Éste es un momento complicado y la pesca puede irse al diablo. Me tumbo en el fondo de la embarcación. (Ya fui avisado que la entrevista dependerá siempre del estado de su humor.) Largo silencio. El rostro del pez es un termómetro y marca "grave". Temo que el pez haya huido para siempre. Tras dos minutos en que parece quedar suspendido en algún sitio de su memoria, Perón retorna a la sonrisa natural y se despide cordial.

Pongo mis papeles en el bolsillo y me largo hacia el centro. Afiches de El Cordobés pespuntean las paredes y de algún profundo jardín se escapa ruidosamente el agua. Algo que no identifico me remite al barrio de San Telmo, a un ventanal de la calle Perú que semeja un vitraux y es único. También a los afiches de otra tauromaquia. Uno que vi en marzo de este año y debe estar aún, desflecado y mudo, en alguna calle porteña: el de Perón, con gesto sobrador barriendo al vuelo con una gran escoba a políticos y a la política. Ese cartel proselitista debería ser cambiado por otro, sin imagen y con solo un texto. El que Perón, como al pasar, dijo esta tarde: "Yo me siento descarnado. Me siento como un gran padre. Viajo por las nubes". Esta frase ha dejado fuera del tiempo al afiche de Buenos Aires. ¿Es sólo un amague? ¿Un camelo?

3

—Y aquí guardo la ropa blanca.

Perón había decidido mostrar los espacios de su intimidad y tras señalar los estantes del placard de su dormitorio se dirigió a la ventana.

—¿Qué me dice del microclima? —se ufanó—. La temperatura de paraíso la conseguí mediante un sistema de riego planificado. Con él vencí el calor de Madrid. El microclima de esta casa, mis perros y estas rosas son ahora mi orgullo. Yo mismo seleccioné los árboles y con mi ayudante Lucas, un andaluz que es mi chofer y a quien enseñé como se hace un asado, implantamos el nuevo regadío. Fumigué las orugas y como ahora no les funciona el caterpillar las plantas crecen tranquilas y sanas. Después inicié mi operativo contra las hormigas españolas. También gané. Les dimos con tutti... A esta casa la financió una gauchada de amigos españoles. Yo compré la tierra y ellos me construyeron la casa. Esta tierra ha subido cuatro veces el valor que tenía. Hice muchas casas para otros. Ésta era para mí y la planeé yo mismo. Hice los cálculos, estudié el terreno —era un poco bajo— y después conversé con el arquitecto, quien completó los cálculos. Se llama "17 de Octubre". Estaba impaciente por verla lista y cada mañana a las ocho les traía café y coñac a los albañiles, pues se hizo en invierno. Así me hice de muy buenos amigos. Entre esta gente están los pequeños Quijotes que quedan en España.

La quinta "17 de octubre" tiene un parque de una hectárea y una casona de piedra de tres plantas armónicamente dispuestas. Una residencia de calidad media, como muchas de las que pueden verse en la salida norte de Buenos Aires.

—*¿Usted sabe que Buenos Aires está rodeada de Villas Miserias y que se las achacan a usted?*
—Ésa es una típica obra de ellos. Fruto de haber dejado sin efecto mi segundo plan quinquenal de viviendas que habría permitido alojar a todas las personas que viviesen en el Gran Buenos Aires. En el primero, de acuerdo al aumento vegetativo y migratorio calculados, construimos cien mil. Durante mi gobierno no tuvimos villas miserias pues construimos medio millón de viviendas.

Perón se ha detenido a descortezar un árbol.

—Le voy a hacer una pregunta, m'hijo. ¿Cuánto tiempo cree que se necesita para contar de 1 hasta 75.000?
—*No sé... general. Supongo que más de un día....*
—Pues vaya pensándoselo. Durante mi gobierno se hicieron 75.000 obras públicas. Sólo para contarlas nomás, se necesitaría de ese tiempo que usted dice... Piénseselo.

Era para callar y pasar a otro tema. Al de su vida cotidiana, por ejemplo, donde se mueve como un padre de familia. Basta quitarle la mítica armadura pública, institucional, para quedar cómodo y sentirse cobijado por Perón. Lo distingue una cariñosa forma de atender y servir a sus huéspedes. Sólo cuando una pregunta se torna arisca, pierde su tono amistoso. Le pido relate un día cualquiera de su vida en el exilio.

—Me levanto a las 7. Duermo con las ventanas abiertas para que me despierte el sol. Esta costumbre la tengo desde subteniente. Me aseo y me afeito con máquina eléctrica. Desayuno: café con leche y dos tostadas. Después camino con José Cresto. Nos hemos juntado dos viejos que necesitamos caminar. Damos vueltas por el parque y a las 9 estoy en el escritorio en donde contesto la correspondencia y leo todo el material periodístico que recibo de la Argentina. A las 11, una hora invariable de esgrima. Isabelita es una formidable alumna. Tiene fuertes piernas y saldrá de ella una esgrimista cabal. La he ido trabajando despacito. Valenzuela también hace lances conmigo. A las 12, otra vez al parque. No dejo un día sin visitar cada árbol. Los converso un poco, sabe. Un árbol es cosa muy importante. Vigilo las hormigas. Doy una vuelta por las rosas. ¿Usted vio rosas más perfectas que las mías? Así hasta las 13.30, en que almuerzo. Sopa y un plato. Puede ser paella, bife de lomo, un poco de fruta y café Monki, sin cafeína. Camino otro poquito y siesta, que dura hasta las 16. Después me doy una vuelta por Madrid —cafés California o Manila— o alrededores. Toledo es la ciudad donde mejor siento a España. Vuelvo a las 19. Los perritos me entretienen bastante. Canela tiene ya diez años, es el abuelo. Es un exiliado como yo y me ha seguido en todas. Tinola, la madre, tiene seis y Puchi, la hija, dos. Son grandes amigos míos. Canela, por ejemplo, es auténticamente un perro. Algunos suelen educar a los perros como si fueran hombres. Hay que dejarlos que sean perros, contagiarles cosas humanas les hace mal. A las 21 veo un poco de televisión. Mis favoritos son "Los intocables", "Hombres del Oeste", "El Santo" y "Notidiario". A las 21.30, la cena. Una hora después, a la cama. Leo de tres a cuatro horas por noche. Si no, no puedo dormir. Una vieja costumbre.

Nos sentamos en un largo banco, junto a sus elementos de esgrima.

—Es lo que más he hecho como deportista. Fui campeón de espada del ejército, ¿sabe? El boxeo me gustaba más. Pero me rompí el metacarpo, ¿ve?

Perón resopla en su asiento, algo ausente. Le hablo de la pena del exilio, de que los griegos la consideraban más dura que la misma muerte, que un destierro como el suyo...

—Parecen de terciopelo esas rosas. ¿Qué me dice del microclima? ¿Funciona bien no es cierto?

Me callé.

4

—Sígame hablando de su viejo —pidió Perón.

El reportaje se había dado vuelta. Por momentos me parecía estar ante un sabio; en otros, ante un diablo criollo, sabihondo a medias, de fuego fácil, no compacto. Así, de a poco, Perón comenzó a hablarme de los asuntos que había ido a buscar.

—*Recién recordaba aquel caballo pintado que hizo historia en los almanaques de 1950, cuando usted apareció en el desfile, por Avenida de Mayo, como si fuera un dios a caballo...*
—Fue enviado a Perú y allí quedó, con destino de padrillo. Un exilado más...
—*General, ¿usted recuerda bien su infancia o la tiene en nebulosa, como casi todos?*
—Mi vida en la Patagonia gravitó siempre. El primer regalo de mi padre fue una carabina 22. El hombre se forma hasta los ocho

años, en que actúa sobre el inconsciente. Después se prepara. Hasta los nueve años me crié con los indios y cazando guanacos. Estas impresiones sellaron mi vida. Recuerdo que a veces en el campo se me congelaban los dedos de los pies. No, no se lamente. Se caían las uñas, pero la vida sabe lo que hace: después crecían otras más lindas y redonditas. Aquella vida inicial me marcó. Más tarde, en Buenos Aires, me hicieron un cajetilla. Pero cada vez que necesité al indio aquel de la niñez, lo tuve. Mi primer amigo fue Sixto Magallanes, un domador. Le decían "El Chino" y era muy bebedor. Se bamboleaba siempre en el caballo, pero domaba bien.

—*¿Y cómo se ha llevado y se lleva con Dios?*

—En esto tienen que ver dos lejanas tías: Vicenta y Baldomera Martiarena. Ambas maestras al comenzar el siglo. Ellas me enseñaron a deletrear el breviario y en los claustros de la Iglesia de la Merced aprendí el abc del catecismo. Tengo grandes amigos en todas las órdenes y he llegado a ayudar a decir misa. No se olvide que cuando dispuse la creación de un cargo de adjunto religioso a la Presidencia de la Nación —que no existía— tuve no pocos dolores de cabeza. Por la Iglesia hice lo que nadie había hecho. Antes de que llegara al poder los obispos cobraban quinientos pesos. Yo les subí a cinco mil. En esa época los curas se defendían con ciento cincuenta pesos. El justicialismo instituyó una ley de enseñanza religiosa.

—*¿Cuándo se dio cuenta de que le había tocado un destino singular y que iba a jugar un gran papel en la historia argentina?*

—Vine a Europa en 1939. Aquí me di cuenta de lo que se venía. Me fue fácil verlo. Muchos argentinos viajaban en esa época sólo para ver la torre inclinada de Pisa. En Torino yo era un tano más en los cursos escolásticos. Me desasnaron en muchos aspectos. Allí me enseñaron a darme cuenta de problemas esenciales. Por ejemplo, el sindicalismo. El sindicalismo tiene su desenvolvimiento en los siglos XIX y XX. El del siglo XX toma su nacimiento en las corporaciones de la Edad Media, las que junto a los enciclopedistas llevan a la Revolución Francesa. Todo esto me interesó vivamente y me hice un especialista en poco tiempo. Cuando volví a la Argentina sabía que para hacer política se necesitaban dos virtudes: sensibilidad e imaginación. Los gobernantes de la Argentina de hoy no tienen ninguna de las dos. En la república demoliberal la política es como el catch-as-catch-can. Yo volví en un momento en que las peleas, como siempre, se arreglaban. Me dije: ¿qué pasa si alguien pelea en serio y les dice yo voy a jugar a ganar? Pues que se iba a quedar con la platea —harta de aguantar a conciencia, necesitada de que alguien gane— y también con el triunfo. Y si era un político se iba a alzar con el país. Cuando llegué a la Argentina me encontré con una revolución en marcha. Pero lo que querían hacer era lo de siempre: un golpe de estado. Que es un momento de la revolución pero nunca la revolución. Ésta se hace siempre de raíz. El país ya estaba harto de ver pasar nada más que golpes de estado. Catch-as-catch-can. ¿Se da cuenta?

—*¿Tenía resuelto lo ideológico?*

—Yo siempre fui un revolucionario, un poco anarquista. Siempre respeté el anarquismo porque pese a su idealismo —que no les permite hacer nada más— merecen respeto. Los que estaban en el candelero querían hacer un golpe de estado como los que se hacían cada ocho años. Yo dije que había que triunfar para dar vuelta el país como si fuera una media. Me entendieron muy pocos. Claro, jugaban a lo fullero, a una sola vez. Cuando dejé la Secretaría de Guerra y la vicepresidencia y pedí un cargo menor, se rieron. Es que yo me sentía impotente teniendo esa gran cartera y ese nivel vicepresidencial que no permitían ninguna renovación de fondo. Me di cuenta que la manija, que la gran palanca, en ese momento del mundo y del país estaba en un departamento olvidado que se llamaba "Departamento Nacional de Trabajo y Previsión". Cuando se los dije, comentaron: ¡éste está loco! ¿Para qué querrá eso? Y allí empecé. Había en la Argentina tanta necesidad de comprensión y justicia que todos comenzaron a seguirme. ¿Venían a verme trescientos obreros? Hablaba con los trescientos. ¿Venían a verme veinte? Hablaba con los veinte. ¿Qué venían tres solamente? Pues decía "que pasen los tres". Y les hablaba. Así nació la etapa carismática. No en balde pronuncié tres mil quinientos discursos durante mi gobierno. Fue gota tras gota. A los obreros, a las madres, a los chicos. Por eso quedó la semilla y estos diez años son de victoria para el movimiento. Especialmente porque la táctica no descuidó nada. Junto al árbol gregario —como ya le señalé la otra tarde— hicimos crecer en el exilio otro árbol joven, para que se confundieran. La masa está ahora preparada para una nueva etapa. Aquella perorata mía dio en su momento el fruto necesario. Cuando los fulleros se dieron cuenta dijeron "éste no es tan loco". Y me metieron en la cárcel. ¿Qué había hecho yo en Trabajo? Muy simple: luchar de verdad, ser un catcher en serio. En esos seis meses de Trabajo y Previsión el país se dio vuelta. Un día vino a verme Patrón Costas y me ofreció ayuda económica. Yo olfateé la que se traía y como sabía lo que le había pasado a Fausto con el diablo, me negué de plano.

—*¿Se sentía político o conductor?*

—Napoleón dice "La conducción es un arte sencillo, pero todo de conducción". ¿Me entiende? La conducción es una técnica distinta de las demás. Para dirigir un ejército se necesita un general. Para conducir políticamente, basta que lo elijan a uno. Pero para conducir masas es necesario conseguir un grado de infalibilidad ante ellas. Simplemente porque es la única manera de que las masas lo sigan a uno. Hay que tener una ley práctica. Yo creo en los hombres hasta que engañan. Una vez que me engañó no le creo ni la verdad. La política se entiende como el arte de mentir y es precisamente todo lo contrario: el arte de encontrar la verdad de un pueblo y ejecutarla.

Perón volvía a salirse de la entrevista. Perón catequizaba. Instrumentista dotado para eso, iba dejando caer palabras con técnica estudiada, sin dudar, agitando las manos, poniendo fervor y contento por tener delante un posible creyente o discípulo.

—*Pero... ¿cómo es Perón para usted?*
—Considero a Perón un personaje de mi época. Nunca lo han animado pasiones. Sirve una causa y vive para ella. El que sirve una causa no piensa en los hombres o en los intereses. El proceso lógico es comprender para distinguir. Distinguir para apreciar. Apreciar para resolver. La política no se aprende sino se comprende y el que la llega a comprender está por encima de las pasiones.

5

Ciertas palabras le hacen brillar los ojos a Perón. Por ejemplo perros, boxeo, peronismo, conducción, historia. Y dos que le hacen salir la jocundia de cauce: Tercer Mundo. Se considera padre de la idea y da por seguro el éxito de esta tendencia internacional. Siempre que el tema tercerista roce el diálogo, aparecerá una frase clisé de Perón: "Cuando hace veinte años nosotros..." Y vendrá enseguida la historia de lo que aportó su movimiento para que ese recodo geopolítico fuera posible ante las dos grandes metrópolis. Con una interpretación que él remonta a Roma y sabe hacer proseguir en forma fluida, funcional, a través del itinerario de las civilizaciones, con sus respectivos dos polos en controversia. Hasta llegar a 1965: "Las dos internacionales —la de Moscú y la de Washington— están de acuerdo finalmente". A través de esta óptica, considera que el mundo no es ni ancho ni ajeno, que todos están ubicados en el mapa y que el futuro tiene que ver con los terceristas: "El mundo se hace cada vez más íntimo. Los argentinos fuimos libres desde 1945 hasta 1955. La liberación no podrá ser insular. Si en 1954 Rusia hubiera estado tan fuerte como después, yo hubiera sido el primer Fidel Castro de América. Y no desde una isla monocultivadora y débil, sino desde un país con mayor ascendiente y poder. ¿Qué me hubiera importado que me dijeran comunista? Eso era verdaderamente nacionalismo, nada más. Y la única salida política de nuestro tiempo. ¿Usted cree que los problemas de Mao con Moscú son por divergencias ideológicas dentro del comunismo? Mao sabe que su política nada tiene que ver con el internacionalismo de los rusos. Sabe que al igual que Nueva York sojuzga a los países latinoamericanos y a otros, los de Moscú lo hacen con Polonia, Hungría y algunos más. Hoy por hoy, el único camino verdadero es el del Tercer Mundo. El mundo se mueve entre la simulación y la hipocresía. La libertad, este mentado "mundo libre", es sólo un mito. La cultura occidental está enferma y la amenaza la caducidad y la decadencia. Como en los viejos imperios está entrando en el período agudo de su caída, en el que los síntomas se hacen más violentos. Si el Imperio Romano, en la época de la carreta, tardó un siglo en descomponerse, los imperios actuales, en los tiempos del avión a chorro y de los cohetes, tardarán sólo unos años. Sus valores ficticios están entrando ya en descomposición y como en Roma se asesina a César, hoy se asesina a Kennedy, y, en ambos casos, deben haber existido los Brutos. Lo dramático está en el hecho de que mientras en Occidente suceden cosas semejantes, otro mundo avanza con valores reales con la decidida intención de tomar el mando de la Historia. Los hombrecillos que conducen malamente a Occidente, tiemblan pero no se corrigen. Como Mao Tse Tung encabeza el Asia, Nasser el África y De Gaulle la vieja Europa, miles de hombres de los cinco continentes luchan en la actualidad por su liberación y la de sus patrias. Y si el destino de los pueblos ha sido el de lucha por su liberación, el de los imperialismos ha sido, invariablemente, el de sucumbir.

Un llamado telefónico saca a Perón de su sillón. Los tres perros lo siguen por los alfombrados pasillos, mientras del interior se escucha una suave melodía europea. Charles Aznavour está cantando "C'est fini". Pero continuamos. Perón es una ametralladora verbal. Le pregunto sobre Aramburu...

—¿Aramburu? Fue alumno mío, dos años, en la Escuela Superior de Guerra... No se puede decir que no hice lo que pude....
—¿Y Alsogaray?
—Con este tipo tuvimos una experiencia lamentable. De la Colina me recomendó a un "experto" que no era otro que este caradura. Fue un poco antes de inaugurar el aeropuerto de Ezeiza. El hecho de que ostentara el grado de capitán ingeniero debía haberme servido de advertencia. Era capitán de un ejército donde con un poco de buena salud, y cuidando de no pelearse con nadie, se llega a general. O, con aprobar algunas materias más y saber algo de aritmética, ingeniero militar. Pero me aguanté y le di la oportunidad. Tuve que sacarlo a empujones por los desastres que cometió. Tal la ligereza de este incoherente.

Han pasado diez años desde aquellas horas de septiembre de 1955 hasta el actual "hombre que está solo y espera", en las afueras de Madrid. Otro Perón, desde aquel que ascendió a la cañonera paraguaya, hasta éste, curtido por la ausencia de poder y la distancia. Un Perón patriarcal, más cerca de Martín Fierro que de Gardel. Así sentí esa tarde al Perón 1965, al Perón que este año cumpliría setenta años, precisamente en octubre, el 8. Descarnado, libre de rencores, no tan preocupado en brulotear a sus enemigos políticos, como era su costumbre.

—¿Y a usted qué le parece Fidel Castro?
—Castro y castrismo siempre fueron cosa exclusiva de Cuba

y de los cubanos. Hace poco los pentagonianos quisieron saber mi opinión. "¿Qué haremos con Cuba?", me preguntaron. "Lo que ustedes permitan que haga Castro con Cuba", fue mi respuesta. Ellos replicaron diciendo que es difícil tratar con él. Mientras se trató de recibir nuestra ayuda nos halagaba, dijeron. ¡Es la vieja historia que se repite!

En seguida, como queriendo hablar genéricamente, comenzó a explicarme:

—¿Sabe una cosa? Yo creo que todo es muy simple si se quiere ver. En cada pueblo hay un noventa por ciento de materialistas y un diez por ciento de idealistas. Suelo decir que los primeros actúan como los gatos —con temperamento frío, egoísta, calculador— y los segundos, como los perros: pródigos, leales. Si usted le da una patada a un perro, éste se lamentará, callado; a la segunda, empezará a quejarse; a la tercera, se irá de su lado. Si usted le da una patada a un gato, éste se meterá debajo del primer mueble; si lo sigue atacando allí, verá cómo empieza a defenderse; y si le da la tercera ¡aguántese!, porque el gato atacará y con todas las uñas. ¡No sé cómo no se dan cuenta de esto en la Argentina!

Una menuda mujer ingresó en el salón y se acercó a saludarnos. Era la misma mujer que aparecía en la portada de un ejemplar de la revista francesa "Elle" que sobresalía en la mesa del salón. Y un título inflado: "Isabel Martínez de Perón. Elegancia argentina en Europa." Venían más datos: riojana, treinta y dos años, el amor de Perón en el destierro, etc... La presencia de Isabel hizo que la conversación retornara a lo cotidiano. El propio Perón desapareció históricamente, para convertirse en un genuino dueño de casa, informante pleno, no ya de los meollos del Tercer Mundo o la política criolla, sino de la disposición del mobiliario, o de los cuadros y otros adornos que nos rodeaban. La reunión fue breve: Isabel debió despedirse urgida por los trámites del viaje que iniciaría al día siguiente rumbo a Paraguay.

—Soy un hombre racionalista por temperamento y costumbres. Desde 1910 mis profesores fueron alemanes. Cabezas que no dejan nada al azar. Todo con orden y sentido.

Un nuevo café se posó cerca de nosotros y lentamente derivamos en la cultura.

—*¿Usted tiene libros de cabecera?*
—A los dieciocho años, acabado de recibir de subteniente, mi padre me regaló dos libros. *Cartas de Lord Chesterfield a su hijo Felipe*, y *Varones Ilustres* de Plutarco, en la edición Garnier. Son los dos libros que más me han influenciado. Figúrese: hay dos tipos de militares jóvenes. Los que se quedan siempre en el Casino, jugando al billar, a las cartas, o charlando simplemente, y los que están inquietos por la vida y el mundo. Yo era de estos últimos. Estos dos libros me indujeron la necesidad de instruirme, de educarme intelectual y moralmente. El primero está escrito por un padre a un hijo natural, a quien educa a través de un epistolario, que es único. ¡Se imagina las enseñanzas que contiene! El otro es el cultivo de la personalidad, del espíritu. Plutarco no escribió historias sino hombres. Empieza, creo que con Ciro, y desfilan muchos grandes. Yo tenía dieciocho años y era lógico: me sentía Aníbal, me sentía un grande...
—*¿Y a cuál de los grandes admira más?*
—Pues a Alejandro. Es lejos el más importante conductor, y la conducción, como le dije, es un arte especial. Un arte que en lo político trata de resolver una sucesión de hechos concretos. Alejandro —que no en balde había sido educado por Aristóteles— a los veinticuatro años ya estaba preparado para la grandeza. Con sólo cincuenta mil atenienses vence a un millón de persas. No

quería glorias pequeñas, glorias de fulleros. Una vez alguien le preguntó adónde quería llegar... ¿Sabe qué respondió? A no perder la esperanza. ¿Se imagina? Esos libros han sido fundamentales. He sido presidente pero antes que nada soy un maestro. Nunca me interesó el gobierno administrativo, eso lo derivé a los equipos correspondientes. Yo me dediqué a lo principal: el gobierno humano. Y para ello hay que ser maestro.

—*¿Usted ha leído a Borges, general?*

—Borges... creo que estuvo aquí por Madrid. Es un escritor, ¿qué escribe?

—*Cuentos, poesía, ensayos. Es el escritor argentino más conocido en el exterior. Para nada peronista, fue nombrado inspector de aves comunal bajo su gobierno. Él, a su vez, respondió adjuntándole al peronismo el adjetivo de inverosímil...*

—No, no lo he leído. Qué quiere: en estos diez años no he podido estar para cuentos. No conozco a ningún cuentista de aquí ni de allá. Los cuentos los hago yo.

Ríe fuerte y se detiene bruscamente cuando le pregunto su opinión sobre Raúl Scalabrini Ortiz.

—Su nombre es todo un símbolo. Un forjador del carácter de la resistencia ante los usurpadores. También admiro a Manuel Gálvez. Y soy amigo de Hernández Arregui. Me gusta cómo escribe. Igual que Pepe Rosa. Yo quería mucho a Leopoldo Lugones. En literatura, si no son amigos no los leo. Me gustan los hombres que escriben lo que piensan. A los reaccionarios no los leo para no envenenarme. Martín Fierro sigue siendo nuestra Biblia. Justa para un pueblo que como el argentino es el más sensible de la tierra. La sé de memoria y le hago caso en todos los consejos. Me desasno con el gaucho Fierro. José Hernández era un rebelde de la época. Y como en esa época no se podía hacer una "revoluti" al gobierno, abrió el escape con Martín Fierro. Ya le digo: yo prefiero leer a los hombres que conozco. Hernández Arregui es un hombre de izquierda, muy atacado por "comunista" y otras yerbas. Y no es así. Él es un hombre libre que escribe lo que siente. Y escribe con nobleza. No vende tranvías, sino escribe lo que piensa. En las cosas de la vida hay que ser leal, hay que tener lealtad. Arregui la tiene y por eso hoy es tan leído y conocido en la Argentina. Porque mire que la literatura está llena de espejismos. En el continente literario se pueden hacer cosas muy lindas. Pero hay que ver en el contenido de la cosa.

—*¿Y le atrae la pintura? ¿Quiénes son sus preferidos?*

—Los pintores italianos más que los españoles. Leonardo y Miguel Ángel, especialmente. No me gusta la deformación de El Greco. Soy enemigo de la deformación en todo sentido. En los clásicos italianos la maravilla reside en la perfección. Los romanos tomaron eso de los griegos que algo sabían de la proporción. El Partenón es una obra clave. Y los italianos respetaron esa herencia: La Piedad es perfecta. Hasta el tamaño, un poco más pequeña que el natural. Pienso que la expresión es fundamental, pero cuando se altera la proporción se la afecta. De los pintores españoles el que más me gusta es alguien que acá gusta poco: Murillo. En cambio Velázquez, que aquí gusta mucho, a mí no me gusta nada. Goya me atrae. Es un pintor popular. Los mismo me sucede con la música. Los clásicos me interesan, pero de vez en cuando. De smoking solo se puede comer una vez cada tanto. Lo lindo es comer en casa, con los amigos. A veces escucho a Bach y a veces Beethoven. Pero lo popular, todos los días. Sobre todo Discépolo, ese poeta único de Buenos Aires. Sus tangos tienen contenido musical y literario. "Chorra" es mi preferido. Y qué decir del fondo de "Cambalache". Son tangos que conozco de memoria. Los tarareo y hasta los canto a veces en el parque. ¿Se dio cuenta de la gracia de "Ahora tanto me asusta una mina que si en la calle se arrima me pongo al lao del botón"? Es fenomenal. Es el más grande poeta popular de la Argentina.

—¿*Cómo se lleva con lo español, una cultura próxima y lejana a la vez?*

—Opinar sobre España es como opinar sobre la madre de uno. Ésta es la patria de la hidalguía. Humilde o encumbrado, en cada español se refleja la grandeza histórica de España. Los valores esenciales de la raza no han cedido a los factores de descomposición que atontan al mundo de este tiempo. El progreso material, que normalmente empequeñece al hombre y hasta lo insectifica, no ha podido destruir al español y a España. Por eso, en la fortuna o en la desgracia, será siempre el reflejo de sus hombres. Y de esos hombres salió el Quijote a galopar por el mundo.

Hablamos de toros, del fenómeno de El Cordobés, a quien desde hace un año un cronista y un fotógrafo franceses siguen por todos los ruedos de España para dar su muerte en la tapa de "Paris Match". Le cuento que una tarde en Sevilla salió con un cornazo en el vientre de diez centímetros y que gritó sonriente a uno de sus banderilleros: "a la enfermería que me he tragado un plátano". Perón me escucha con interés pero no se estremece en lo más mínimo. En seguida sabré por qué:

—Yo soy partidario de los toros. No voy porque paso un mal momento en la plaza. En mi sensibilidad paisana no entra eso de maltratar a los animales. Creo que un hombre que maltrata a un animal es de malos sentimientos. Y si hace eso puede llegar a maltratar a otro hombre o a cualquier cosa. Le voy a contar: no voy a la plaza para no desear que maten al torero y creo que la mitad de la plaza va por eso. Box y fútbol, sí. Toros no.

La tarde se acaba y hay un reloj diciéndolo a campanada limpia en un rincón. Mientras me acompaña me cuenta que en cine ha visto "Becket" y que le pareció estupenda. También "El Cid" y "Los diez mandamientos".

—Ésta es la película mas importante que he visto en mi vida. Es un monumento —remata. Y concluye con una invitación: —¿Qué le parece si pasado mañana se viene a comer un asado? Véngase temprano y la seguimos.

6

Por momentos el parque parecía una diminuta pampa, con Perón allí, casi paisano, ahumándose por cuidar el estilo del asado. Por sugerencia suya el almuerzo iba a tener una pequeña variante que más que un cotejo significaba un reconocimiento: incluía chuletas españolas y argentinas. Oportunas botellas de Valdepeñas presidían el adiós al reportaje. La mañana era perfecta y Perón, solícito, esmerándose por servirnos sin una falla, resultaba conmovedor. Isabel había partido el día anterior y él se ocupaba sin problema alguno de dirigir —pero metido vivamente en cada detalle— la organización del almuerzo. La nostalgia se impuso y la charla pronto derivó a la tierra original, a sus hombres, y al enfrentamiento de muchos de sus hombres.

—Illia es un chambón. Si me hubiera recibido se habría anotado el único poroto de su vida. Hoy la Argentina es un satélite del imperialismo. Sumisamente subordinado y obediente, el gobierno cipayo no representa sino a una ínfima parte del pueblo. Ha hipotecado el país y entregado su soberanía. Frente a eso, el pueblo argentino mantiene una lucha decidida en procura de la liberación. El justicialismo representa la última garantía contra la ignominia y los desatinos que diariamente allí se cometen y ha debido enfrentar persecuciones monstruosas y arbitrariedades terribles. Diez años de lucha incesante nos han depurado y engrandecido. ¡Por algo ha de ser! Las elecciones son un mero incidente dentro de la lucha que venimos sosteniendo con los gobiernos que desde

1955 vienen usurpando el poder. Ha sido una prueba para demostrar que podemos derrotarlos en cualquier campo. En las elecciones de este año quedó en evidencia que el peronismo puede manejarse y conducirse por sí. Los movimientos reformadores, que realizan una verdadera revolución, son inicialmente gregarios. En ellos, al decir de Napoleón, el hombre es todo, los hombres no son nada. Pero a una altura de su desenvolvimiento, llega también la hora de pensar que el hombre no vence al tiempo y que es menester recurrir a la organización, que es lo único que puede vencerlo. Por eso, desde mi caída, me he dedicado a la tarea de cambiar lo gregario por lo institucional. El éxito alcanzado me llena de orgullo.

—¿*Usted está bien informado de lo que ocurre en la Argentina?*

—Mire. Vivo al día la situación de la Argentina por una abundante información que me llega de nuestros servicios. De acuerdo con los compromisos que me ha establecido el gobierno español para permanecer aquí, está el de que no intervenga en actividades políticas de nuestro país, lo que me ha venido a favorecer en mi intento de institucionalizar el movimiento peronista. Ahora aprende a manejarse solo y a conducirse por sí. Desde la Navidad del año pasado no he tenido contacto con los dirigentes como no sea la correspondencia personal que se cursa, cuando el correo argentino la deja pasar. Pero como le digo, vivo al día la situación del país. Eso me permite apreciar ajustadamente el clima que hay allí y las posibilidades para el futuro inmediato. En la actualidad el problema argentino no tiene solución mientras se mantenga el actual gobierno: políticamente, porque no tiene la capacidad ni la grandeza necesaria para buscar soluciones nacionales; económicamente, porque siendo la crisis argentina eminentemente estructural, no está en condiciones de lanzar nuevas estructuras que corrijan los males. Atado a los intereses nacionales e internacionales, carente de equipos y capacidad, no tiene más remedio que mantenerse inactivo, como es su norma. Entretanto, la economía del país sigue hacia el caos y la ruina nacional. Socialmente jamás contará con el apoyo ni la colaboración del pueblo, sino más bien con la resistencia y la obstrucción sistemática. El futuro es incierto. La contumacia de la oligarquía vernácula, apoyada en los intereses y los poderes foráneos, está llevando al país hacia una situación sumamente delicada. Puede desembocar en una guerra civil o en el deslizamiento hacia el comunismo. Si alguna de ambas cosas se produce, no habrá poder que pueda detener la acción popular, azotada durante diez años por arbitrariedades espantosas.

—*Pero algunos sostienen que es el peronismo el responsable de la crisis del país.*

—No es la primera vez que me llega esa falsa acusación. La promueven los culpables de cuanto pasa en la Argentina. Pero no le contestaré yo sino las estadísticas del año 1955 —cuando cayó el justicialismo—, y las del año pasado, después de diez años de desgobierno plagado de los desatinos mas inverosímiles. Pocos datos serán suficientes. En 1955, la reserva financiera era de 1.500 millones de dólares. No existía deuda externa. Balanza de pagos al exterior siempre positiva. En 1964 se "tragaron" la reserva financiera y contrajeron una deuda externa estatal directa de 4.000 millones de dólares.

Tras su maratón de datos rápidos, Perón sonríe, me mira con tono cachador, como diciéndome ¡Qué le parece! y como si la pausa le hubiera servido para tomar resuello, prosigue, abrumador:

—Es que esta gente, aparte de carecer de ponderación, no tiene equipos capacitados y está ligada, como lo dije hace un rato, a compromisos internos y externos que resultan ruinosos para la economía nacional. Fíjese: en un mercado estabilizado por el control de precios donde la inflación había sido detenida, entraron como un elefante en un bazar y lo descompusieron todo, con la desaprensiva confianza de los que ignoran todo. Liberaron los precios y congelaron los salarios, con lo que entraron en una inflación desenfrenada que terminó por destruir el poder adquisitivo de la masa y disminuir la demanda a límites inconcebibles, provocando una terrible atonía en el comercio y arruinando la economía popular. Paulatinamente, con la ruina de la economía popular, llegó la ruina de los que viven de ella, que somos todos. Así trasformaron una economía de abundancia en una economía de miseria en pocos meses. Al llegar, los gorilas destruyeron lo que habíamos hecho sin reemplazarlo con nada. Provocaron una crisis estructural violenta que se ha prolongado a través de los gobiernos que le siguieron. Ya no tienen carne ni para la población. Por hacer divisas han destruido los planteles de ganado que en 1955 eran de sesenta millones de cabezas. En el orden de la capitalización del país, el panorama ha sido trágico: el justicialismo había establecido un sistema de control financiero que impedía la fuga de capitales nacionales y evitaba la descapitalización por la salida de servicios financieros a través de las empresas extrajeras radicadas en el país. Con la llegada de los gorilas se destruyó el control, y la salida de capitales se produjo en masa, descapitalizando al país literalmente. Cuando ya no había nada que sacar, los empréstitos vinieron a hipotecar el país con una deuda externa que debe pasar en la actualidad de los 6.000 millones de dólares... Podía decirle mucho, mucho más en torno a esa acusación, pero para muestra basta un botón, como decimos allá. Hay que darse cuenta, m'hijo, lo que ocurriría en la Estados Unidos, con toda la potencia de su economía, si de la noche a la mañana llegaran allí los gorilas y disminuyeran el consumo en una tercera parte y suprimieran el sistema de control financiero y económico que existe en la Unión. Los efectos no serían mejores que los que las inconsultas medidas de los sucesivos gobiernos gorilas han provocado en la maltrecha economía argentina. Sólo un desaprensivo falsario, o un perfecto ignorante, conociendo estos antecedentes, puede afirmar que la crisis actual argentina ha tenido su origen en los gobiernos justicialistas.

Hecho un monje, Lucas recogía, en cuclillas, las cenizas finales del asado. Juntos comenzamos a pasear por el parque. El racconto económico había pasado. Empezamos a hablar de pájaros. El aire olía a laurel español.

7

—Venga. Subamos a mi escritorio.

Lo seguí. Revestido de madera oscura, amplio y ordenado, parecía un gran camarote.

—Aquí escribo, aquí leo, aquí paso horas.

Se sentía a gusto, frente a sus libros, junto a su archivo, cerca de muchos elementos de su historia. Mi viaje concluía y debía partir al día siguiente. Algunas preguntas quemaban en mi mochila y debía quitármelas de encima.

—*¿Cuál fue el momento más grave de su vida?*
—Fueron muchos. Dice Nietzsche que sólo a los grandes hombres les pasan cosas terribles. No sé si seré un gran hombre pero le puedo contestar que me han pasado cosas terribles. No terribles por mí sino por lo que he querido ser. Yo creo que se nace con un destino. También creo que no debieran nacer aquellos que no tienen una causa para servir. Y se lo digo ahora, ya de vuelta de todo. Yo ya no pretendo nada más. Soy un verdadero fakir. Puedo acostarme en un colchón de clavos como si fuera uno de

plumas. Esto de fakir no es por decir. Aprendí algo de yoga y hasta puedo dormirme cuando quiero y con diez minutos me basta. Los que reciben las bofetadas son siempre los doctrinarios. Están los que trabajan para sí mismos y los que lo hacen por los demás. Que cada uno piense por qué lo he hecho, por qué y para qué he trabajado yo.

—¿Quién lo sucederá a usted, general?

—Yo he sido un doctrinario. El que venga debe ser un dogmático. Y el que suceda a éste, un institucionalizador. Igual que en Rusia. Primero Lenin, después Stalin y ahora los otros. Pero sea quien sea no podrá dejar de ser un revolucionario. El sucesor está en la nueva generación. Le diré por qué creo que está allí. Todo el desarrollo de la historia política del mundo ha estado siempre influenciado por un problema generacional, que ha gravitado decisivamente. La juventud actual, frente a un mundo en decadencia, se ha refugiado en una explicable rebeldía. Mientras unos se deciden por la "nueva ola" o "la dolce vita", y otros se hacen "gamberros" y azotan las ciudades con sus desmanes, los idealistas —que en la juventud abundan— se rebelan y salen a luchar en guerrillas o a preparar insurrecciones de todo tipo. Los jóvenes de nuestro país son únicos. Recuerdo que los norteamericanos, comentando las elecciones de marzo, escribieron: "Perón, a 12.000 kilómetros de Buenos Aires, le gana con los perritos las elecciones a Illia". Pero no se las gané yo sino nuestra juventud. Nuestros muchachos, que para felicidad de la Argentina, no se parecen a los de otros países del mundo. En algunos lados se dejan el cabello largo, en otros asaltan por despecho, en la Argentina se interesan por el país. Es una juventud que no reniega de su destino: lo cumple. Por eso está dispuesta a todo. Y si necesita volar la mitad del país para que la otra mitad pueda vivir en la verdad, lo va a hacer. No le quepa duda. Por eso, el momento más feliz de mi vida no ha llegado aún. Será cuando ellos logren el país que quieren. Por eso creo que mi sucesor puede estar entre ellos. La

Argentina política lleva implícito un problema generacional. Y cuando los pueblos tienen cultura política —y nuestro pueblo la tiene— el que va a reemplazar está ya esperando. Uno u otro, pero va a salir. De los grupos políticos, de la juventud, de los sindicalistas, pero va a salir. Yo anhelo que salga de la juventud. Pero ése es un deseo personal.

—*¿Esa juventud está preparada?*

—Tiene una mística que la impulsa y una doctrina que la guía. El tercer factor es la capacitación para la lucha. Las dos primeras nuestra juventud ya las tiene. La capacitación para la lucha no tiene escapatoria: se consigue luchando.

—*¿Luchando sin apoyo militar?*

—El golpe militar es lo más impopular. La guerrilla es mejor porque viene del pueblo. En todas partes es lo mismo. Fíjese qué pasa en Vietnam, en Santo Domingo. Todo porque detrás están metidos los militares. El pueblo es un convidado de piedra en todo régimen militar. Los militares sólo saben mandar y mandar es obligar. El gobierno tiene otro sentido: persuadir.

—*Se dice que usted tiene mucho dinero. ¿De qué vive?*

—Cuando salí de Buenos Aires y como quedó bien explicado en mi libro *La fuerza es el derecho de las bestias* ayudé con mi dinero a muchos de los exiliados. Luego viví con los ahorros de mi sueldo de general y de presidente, que no es mucho, y que pude sacar de lo que me sacaba Eva para la Fundación. A Santo Domingo llegué sin un centavo. Isabelita sacó los últimos cien dólares. Claro, allí tenía un amigo: Trujillo me dio una mano. Después, el gobierno de Frondizi me hizo llegar unos pesos. Con eso y con algunas ayudas que me hizo Jorge Antonio me fui defendiendo.

—*¿Habrá retorno, general?*

—En cuanto pueda yo voy a volver. Este "en cuanto pueda" tiene mucho de "cuando sea necesario". Ahora sé cómo se hace. Volveré aunque sea en un submarino y ya nadie, ni el padre eterno, me parará. Estoy sano, tengo fuerzas. Hasta puedo volver a pie todavía. Todavía puedo hacer varias horas de sky o de caballo. El mundo es grande y se puede llegar, dando vueltas, a donde uno quiera llegar. Tengo amigos importantes.

—*Pero en diciembre lo pararon en Río. ¿Qué sucedió?*

—El 2 de diciembre de 1964 viajaba yo hacia mi país, en una línea regular, con mi documentación en regla y legalmente autorizado. Al llegar a Brasil, en tránsito, se allanó la aeronave, se me detuvo y, conducido a una repartición militar, permanecí trece horas incomunicado. Luego fui obligado a retornar al lugar de origen. Cuando pregunté por qué se hacia eso e invoqué las leyes internacionales, se limitaron a contestar que era orden del presidente de la República y que en Brasil las leyes las hacían ellos. Supe luego, por las publicaciones emanadas de Argentina y Brasil, que estas dos "democracias" pentagonianas eludían la responsabilidad de semejante atropello: Brasil declaraba por su Cancillería que mi detención y rechazo había sido por expreso pedido del gobierno argentino, en tanto que el canciller Zavala Ortiz manifestaba a la prensa internacional que no había mediado pedido alguno. Pero nosotros sabíamos de dónde había partido la orden porque, a renglón seguido, el secretario del State Department hacía llegar una felicitación al gobierno brasileño por la hazaña que acababa de realizar. Y éste es el "mundo libre"...

—*Y de regresar, ¿a qué lugar iría primero?*

—A mi casa. A charlar con los muchachos, a aconsejarles qué es lo que tienen que hacer. Pero ¡por favor! que no me ofrezcan nada porque no agarraría nada. Yo me conformo con eso, aconsejar. Y creo que es allí donde más me necesitan. Sólo ellos pueden cumplir las etapas que faltan. Los viejos llevan todo para atrás y la juventud sólo piensa para adelante. La formación futura debe estar en manos de los futuros.

—*¿Todavía es cierto eso de que para un peronista no hay nada mejor que otro peronista?*

—Todos los viejos peronistas están como en la primera hora,

algunos un poco disminuidos, otros gastados por la inclemencia política. Pero no por la escisión ya que siguen con las mismas ideas. Están los que han muerto, como Teisaire. Pero son excepciones.

—*Si Eva no hubiera muerto, ¿qué cree usted que haría ahora?*

—Eva fue una gran mujer. Me hubiera acompañado.

—*Si usted hubiera tenido un hijo varón, ¿qué consejo le daría en esta hora de la Argentina y del mundo?*

—Que luche por la liberación de su país, que luche por liberarse, que se libere. Toda la historia del mundo es la lucha contra el imperialismo. Desde los fenicios el destino del imperialismo es el de sucumbir. Esta guerra de hoy ya la hemos ganado. Es fatal. Yo le diría como padre: he hecho hasta aquí. Mi parte está cumplida. Ahora le toca a usted, hijo. Si no lo cumple será un cretino más en el mundo.

—*Discúlpeme... pero ¿qué epitafio desearía para su tumba?*

—Nunca me lo he puesto a pensar. (Larga pausa.) ¿Sabe cuál? Es muy sencillo. Me gustaría que únicamente dijera esto: "Aquí yace un hombre que vivió y cumplió su causa". ¿Sabe una cosa, m'hijo? Yo siempre me consideré, en el fondo, un hombre común. Pero con una causa para servir, con una finalidad. No se olvide de esto. En la vida puede haber simultáneamente, hombres singulares y hombres comunes. Pero si los primeros son solamente grandes y no tienen una causa, los comunes, si la tienen, son más grandes.

El reportaje había concluido. Puso su brazo en mi hombro y nos acompañó hasta la puerta. Por un instante miró la anchura de la tarde española. Tuve la sensación de verlo estar delante de una tranquera pampeana, atisbando, como queriendo saber si llovería o no. Pero no era el clima sino la nostalgia, seguramente, lo que alertaba esos pequeños ojos de Perón. Saludo a mano alzada, muchas veces y fue casi gritando que repitió ese

—¡Adiós! ¡Buen viaje! ¡Hasta siempre!

ÍNDICE

Prólogo / 9

Robert Graves
El último gran dios blanco / 11

Antonio Gala
Un caballero de tan fina estampa / 21

Sixto Palavecino
El primer violinisto del mundo / 33

Cristóbal Colón
El gran chozno de la mar océano / 49

Corín Tellado
La reina madre del folletín rosado / 57

Jorge Luis Borges
El único niño que fue octogenario / 71

Miguel Rep
La utopía de un niño emperrado / 85

ANTHONY BURGESS
YO SOY EL AUTÉNTICO BORGES INGLÉS / 105

JOSEFINA MANRESA
UNA MUJER BORRADA POR LOS BESOS / 119

JUAN ANDRALIS
UN GRIEGO QUE AMABA A LA GARAMOND / 131

JOSÉ PLAJA
EL ÚLTIMO SECRETARIO DE GARDEL / 145

HELVIO BOTANA
EL BUSCADOR DE LOS DIENTES DEL PERRO / 163

JUAN PERÓN
EL HOMBRE QUE SEDUCÍA DEMASIADO / 181

Esta primera edición de mil ejemplares de
Gente bastante inquieta
Conversaciones
de Esteban Peicovich
se terminó de imprimir en los
talleres de Edigraf S.A.,
Delgado 834, Buenos Aires,
República Argentina,
en el mes de octubre
del año dos mil uno